TU ME LE PAIERAS !

TU ME LE PAIERAS !

Roman de

Cecily von Ziegesar

Fleuve Noir

Titre original :
Unforgettable

Traduit de l'américain par
Cécile Leclère

ISBN : 978-2-265-08531-7

La plupart des gens se sont entendu dire, depuis leur plus tendre enfance, qu'ils n'ont aucune raison de se croire moins bons que les autres. On m'a toujours répété que j'avais toutes les raisons de me croire meilleure.

Katharine Hepburn

1

UN HIBOU DE WAVERLY SAIT QUE LES BONNES CHOSES N'ARRIVENT PAS TOUJOURS À CEUX QUI SAVENT ATTENDRE. FRANCHEMENT, QUI AIME PRENDRE SON MAL EN PATIENCE ?

En quittant le pavillon Jameson après le cours de portrait, Jenny Humphrey inspira une bouffée d'air frais. Sur la pelouse devant le bâtiment, deux grands et maigres terminales en treillis et sweat-shirt Waverly jouaient au Frisbee. Ils s'arrêtèrent à son passage et Jenny se sentit rougir. Elle s'éloigna d'un pas rapide, en faisant crisser les feuilles mortes sous ses ballerines en daim jaune moutarde. Elle aurait donné cher pour se retrouver en compagnie de son père et aller s'acheter des petits gâteaux à la vanille préparés par leur pâtisserie préférée sur Amsterdam Avenue, non loin de leur appartement du West Side. Elle ne désirait qu'une chose, se perdre dans les rues de Manhattan parmi des millions d'inconnus, dont aucun ne penserait en la voyant : *Eh, c'est la nana qu'Elias Walsh s'apprête à larguer.*

Jenny tira sur l'ourlet de sa minijupe en laine grise Anthropologie. Elle avait passé un peu plus de temps à se pomponner que d'habitude, sachant qu'elle allait revoir Elias pour la première fois depuis le désastre de la fête de samedi, ce fameux soir où toutes les filles de Dumbarton auraient dû rester consignées dans leur dortoir. Elle portait une paire de collants foncés à rayures qui allongeait ses jambes et un gilet noir Ralph Lauren à manches trois-quarts qui rendait ses seins plus petits. Mais Elias ne s'était même pas donné la peine d'assister au cours. Le cœur de Jenny s'était serré lorsque Mme Silver avait refermé la porte de la salle, malgré l'absence d'Elias. Cela signifiait-il qu'il l'évitait ?

Ils ne s'étaient pas parlé depuis la terrible révélation qui avait eu lieu lors d'une partie très publique de « Je N'ai Jamais » ce samedi soir-là : Elias avait invité Callie Vernon, son ex, la grande, belle et mince colocataire de Jenny, à un dîner intime en compagnie de son père. Non seulement il n'avait pas convié Jenny, sa petite amie en titre, mais en plus il ne l'en avait même pas informée, alors qu'apparemment la moitié de l'univers était au courant. L'autre moitié l'avait appris grâce à l'aimable contribution de cette pure garce de Tinsley Carmichael à cette partie de « Je N'ai Jamais » à laquelle avait participé tout un tas de joyeux Hiboux en goguette.

Elias avait envoyé un e-mail à Jenny le samedi soir, une fois que les convives s'étaient lamentablement dispersés, en lui demandant si elle souhaitait en discuter, mais elle lui avait répondu qu'elle n'était pas prête – pour commencer, il aurait déjà fallu qu'elle sache ce qu'elle ressentait. Enfin tout de même, elle ne pouvait pas s'empêcher d'espérer qu'il essaierait de venir la voir en douce, un bouquet de fleurs sauvages à la main, ou de glisser une de ses caricatures rigolotes dans sa boîte aux lettres. Elle ne voulait pas passer pour une de ces filles qui disaient une chose en pensant le contraire, mais voilà... Elle aurait apprécié de voir Elias tenter quelque chose.

Soudain, Jenny sentit un petit coup sur la nuque, elle se retourna, s'attendant à voir un des joueurs de Frisbee se précipiter vers elle pour s'excuser. Au lieu de quoi, un avion en épais papier à dessin blanc gisait à ses pieds sur l'allée pavée. Elle le ramassa, le déplia, le cœur battant la chamade, mais il n'y avait rien d'écrit dessus.

— Psst !

Elle jeta un coup d'œil vers le bosquet de bouleaux à gauche du pavillon Jameson. Là, niché entre les arbres, une feuille jaunie coincée derrière l'oreille, se trouvait ce garçon qui occupait toutes ses pensées. Les immenses yeux bleus d'Elias trahissaient une certaine nervosité ; il lui fit signe d'approcher.

Jenny avança lentement dans sa direction, sans parvenir à se débarrasser d'une brève vision : Elias assis à une table éclairée aux chandelles, avec son père et Callie. Elle commençait à se sentir un peu mal à l'aise, aussi essaya-t-elle de remplacer cette image par le souvenir du dimanche qu'elle avait passé en compagnie de Beth, de Kara et aussi… de *Callie !* Toute la journée, elles s'étaient plaintes des mecs – pas de certains en particulier, mais des mecs en général – dans un agréable sentiment de communion. Ensemble, elles avaient cassé du sucre sur le dos des garçons. *Il n'y a pas si longtemps, ils en étaient encore à se balancer aux arbres pour attraper des bananes,* avait déclaré Callie, après quoi elles avaient imité les singes pendant tout le reste de la soirée. Et maintenant, en voyant Elias parmi les branchages, elle dut se retenir pour ne pas lâcher un *ouh-ouh-hi-hi* caractéristique !

— Salut, dit-elle finalement.

Le sourire d'Elias disparut aussitôt, comme s'il s'attendait à un accueil plus chaleureux, et Jenny se sentit mollir.

— Pourquoi te caches-tu dans les buissons ? demanda-t-elle en haussant un sourcil.

Il sortit du bosquet en jetant des regards autour de lui. Il portait un polo de rugby aux couleurs de l'école couvert de taches d'herbe, et ses yeux normalement vifs étaient un peu injectés de sang, comme s'il n'avait pas bien dormi ces derniers temps. Eh bien tant mieux s'il avait du mal à trouver le sommeil – elle-même avait passé les trois dernières nuits à se tourner et se retourner dans son lit, l'esprit envahi par des visions du grand et bel Elias en compagnie de la grande et belle Callie.

— Je ne voulais pas que Silver me voie, expliqua-t-il en se passant une main sur les yeux. Je lui ai dit que j'étais malade.

— Alors qu'est-ce que tu fais là ? laissa échapper Jenny.

Les yeux bleu foncé d'Elias se voilèrent.

— Je... ne sais pas trop. Disons que j'avais envie de te parler.

— Oh.

Jenny fouilla dans son sac à la recherche des lunettes d'aviateur en plastique blanc qu'elle s'était achetées dans la rue à SoHo avant la rentrée. Le soleil brillait, mais surtout, elle tenait absolument à cacher ses pensées à Elias. Son frère Dan lui disait souvent que les expressions de son visage étaient à peu près aussi difficiles à déchiffrer qu'un panneau *stop*. Après avoir remué le fatras de son sac en vain, elle arrêta de chercher, pour éviter d'exhumer accidentellement un tampon ou tout autre objet embarrassant. Elle se contenta donc de protéger ses yeux de sa main en relevant la tête.

— Tu me raccompagnes au dortoir ? Je dois me préparer pour l'entraînement.

Il acquiesça doucement et ils firent demi-tour, en direction de Dumbarton.

Ils suivirent côte à côte l'allée pavée, les cris des élèves en train de faire du sport résonnaient au loin dans l'air automnal. Tous deux demeurèrent silencieux quelques instants, et Jenny ressentit douloureusement l'espace énorme qui les séparait. Elias gardait ses distances et elle n'avait pas la moindre idée de ce qui lui trottait dans la tête. Elle avait envie de le plaquer sur un tapis de feuilles et de l'embrasser, mais c'était… impossible. Elle se remit à farfouiller dans son sac, y trouva enfin ses lunettes de soleil. Elle les démêla du porte-clé hibou acheté à la petite boutique de Rhinecliff qui vendait tous les gadgets de Waverly et les plaça sur son nez.

Une meute de filles en minijupes à carreaux et grandes chaussettes, blotties sur les marches de la bibliothèque, les dévisagèrent lorsqu'ils les croisèrent. Toute l'école bruissait des révélations apportées par la partie de « Je N'ai Jamais » de samedi soir – on glosait sur la virginité démasquée de Tinsley Carmichael et Beth Messerschmidt, sans parler du scoop à propos de Jeremiah Mortimer, le petit ami de longue date de Beth, qui, lui, n'était, tout à coup plus puceau, à l'instar de la jolie blonde de St Lucius qui l'avait mystérieusement suivi jusqu'à Dumbarton. Et bien sûr, le fait qu'Elias Walsh avait filé un rencard en douce à Callie Vernon, dans le dos de Jenny. Qu'Alison Quentin et Alan St Girard soient sortis ensemble à la fin de la soirée semblait totalement banal en comparaison, et le ragot n'était pas classé très haut sur le potinomètre de Waverly, bien que la formation d'un nouveau couple accède généralement à la première place.

Elias traînait un peu les pieds en avançant.

— Je voulais juste… m'excuser. Encore une fois.

Jenny soupira. Elle savait bien qu'il était désolé. Mais ça ne voulait pas dire grand-chose. Désolé de quoi ? D'avoir emmené Callie dîner et pas elle ? De l'avoir blessée, de l'avoir embarrassée ? D'avoir tout fichu en l'air entre eux ?

Ou bien s'excusait-il parce qu'il savait qu'il allait lui briser le cœur ?

Jenny s'immobilisa. Elle venait de surprendre la conversation de quelques filles, inscrites dans son cours d'anglais, qui racontaient qu'elles étaient allées cueillir des pommes ce week-end et elle s'imagina immédiatement dans cette situation avec Elias :

les mains autour de sa taille, il l'aidait à atteindre le fruit le plus haut, le plus rouge de l'arbre. En fait, elle n'avait jamais participé à une récolte de pommes, mais ça lui semblait idyllique. Elle se demanda si l'occasion se représenterait à eux dorénavant. Ou si dans ce cas, il emmènerait Callie à sa place. Elle était si grande qu'elle n'aurait même pas besoin d'aide pour attraper cette saloperie de pomme.

— Eh bien, moi, je suis plutôt… perdue.

Jenny fixa le sol.

— Pourquoi as-tu eu envie de dîner avec Callie ? finit-elle par demander tout en se disant qu'Elias nourrissait peut-être des sentiments pour toutes les deux.

Mais elle se fichait bien d'avoir une petite place dans son cœur. Surtout s'il lui fallait la partager.

— Ce n'est pas que j'en ai eu envie… répondit Elias en la regardant.

Elle fut soulagée d'avoir réussi à retrouver ses lunettes.

— … Mais ça m'a paru plus simple.

Il se pencha pour ramasser une poignée de feuilles mortes par terre, puis ouvrit le poing et les laissa virevolter jusqu'au sol. Elle attendit qu'il poursuive, mais il resta muet.

Ce n'était pas la réponse qu'elle voulait – bien qu'elle ignorât totalement quelles paroles il pourrait y avoir entre eux. Peut-être n'existait-il aucune réponse susceptible de tout rattraper. Jenny fixa les chênes au feuillage orange vif derrière Elias en évitant son regard.

— Je ne sais vraiment pas quoi te dire. Il me faut du temps pour y voir plus clair, répondit-elle en mordant ses lèvres brillantes de gloss. À toi aussi, peut-être…

Elle retint son souffle, attendant qu'il la contredise parce que lui n'avait pas besoin de voir plus clair. Il était fou d'elle, de personne d'autre et aucune réflexion n'y changerait quoi que ce soit. Il ajouterait qu'il était désolé, qu'il patienterait le temps qu'elle mette de l'ordre dans ses sentiments. *Vas-y, dis-le.*

Mais Elias se contenta de hocher la tête doucement, les mains bien enfoncées dans les poches de son Levi's délavé, éclaboussé de peinture.

— OK, murmura-t-il.

Jenny se redressa. Elle expira l'air qu'elle retenait, se sentant soudain... dégonflée.

— Très bien. À plus tard, alors.

Elle s'exprima sur un ton beaucoup plus froid que ce qu'elle aurait souhaité, aussi essaya-t-elle de s'adoucir.

— Ne rate pas le cours de dessin de vendredi. Tu sais que Mme Silver t'adore.

Elias sourit. Elle vit sa pomme d'Adam osciller dans sa gorge. Il restait sous son menton une petite tache de barbe qu'il avait oubliée de raser, et Jenny lutta contre un impérieux désir de l'embrasser, fougueusement, sur-le-champ. Si elle l'avait fait, tout aurait peut-être pu redevenir comme avant cette stupide soirée, ce stupide dîner, avant que tout parte en vrille.

Mais il reculait déjà, loin d'elle, dans l'herbe.

— D'accord, dit-il avant de poser deux doigts près de sa tempe droite, dans un salut moqueur. Eh bien... euh... à plus, alors.

Jenny reprit le chemin de sa résidence en regardant droit devant elle, sans se retourner. Que venait-il de se passer au juste ? Était-ce... terminé ? Des larmes jaillirent de ses yeux, mais elle déglutit très vite en essayant de se concentrer sur des idées joyeuses : les petits gâteaux saupoudrés de chocolat de sa pâtisserie préférée, les soldes chez Barneys, les jours de pluie à rester blottie au chaud avec un bon polar, les majestueux bâtiments couverts de lierre qui l'entouraient.

Mais ces pensées agréables ne suffisaient pas à effacer le malaise qu'elle éprouvait. Elias était le petit ami dont elle avait toujours rêvé – elle n'aurait jamais cru qu'un mec comme lui aurait pu s'intéresser à elle. Mais c'était peut-être ça le problème. Peut-être était-ce impossible, justement.

Boîte de Réception

De : JeremiahMortimer@stlucius.edu
À : BethMesserschmidt@waverly.edu
Date : Mardi 8 octobre, 14 : 08
Objet : Je t'en supplie, ne supprime pas ce message

Chérie, s'il te plaît, réponds au téléphone… ou laisse-moi venir te voir ? J'ai besoin de t'expliquer – il faut que je te parle, en personne. Je suis vraiment, vraiment désolé. Ce que j'ai fait… c'était la pire erreur de ma vie. Je le reconnais. Ça prouve donc bien que je suis sincère.
Je déconne. Mais s'il te plaît. Appelle-moi.
Ça me *tue. S'il te plaît.*

HibouNet

Messages instantanés
Boîte de réception

HeathFerro :	Salut beauté. Ça te dirait de venir réviser l'interro de bio dans ma chambre ?
KaraWhalen :	Euh... Je ne suis pas avec toi en bio.
HeathFerro :	Ah. Tant pis, on pourrait trouver autre chose à faire.
KaraWhalen :	C'est vraiment très galant de ta part, mais j'ai déjà un vrai rencard révision, alors une autre fois.
HeathFerro :	Sérieusement ?
KaraWhalen :	Non.

2

LES HIBOUX DE WAVERLY LE SAVENT : QUI SE RESSEMBLE S'ASSEMBLE.

— Comment se fait-il que toutes les femmes aient des seins énormes là-dedans ? demanda Beth Messerschmidt en feuilletant l'un des albums des *X-Men* de Kara Whalen.

Elle écarta de ses yeux une mèche rouge comme un camion de pompier.

— C'est là que résident leurs superpouvoirs ou quoi ?

Les deux filles, à plat ventre sur la couette en soie à imprimé indien fuschia de Beth, parcouraient une pile de bandes dessinées de Kara. Le cours de chimie s'étant terminé plus tôt – à cause d'une « expérience » du groupe d'intellos toujours fourrés ensemble à la bibliothèque qui s'était soldée par une petite explosion –, Beth et Kara avaient prévu de profiter de ce temps libre pour réviser leur interro de chimie de milieu de trimestre. Leur professeur, M. Shaw, était très aigri, et on disait qu'il répertoriait toutes les fois où il parvenait à faire pleurer un élève ; le devoir promettait d'être d'une complexité hallucinante. Mais leur projet de révision n'avait duré que trois minutes environ, puis Beth avait allumé sa chaîne et demandé à Kara d'apporter quelques-unes de ses BD de collection. Heureusement, Tinsley avait cours jusqu'en toute fin d'après-midi le mardi, ce qui leur laissait la chambre pour elles. Beth avait tenu à mémoriser l'emploi du temps de sa colocataire, de façon à profiter au mieux des moments d'absence de cette éternelle langue de vipère aux yeux violets.

— Je ne sais pas, reconnut Kara. Parce que les dessinateurs sont tous des mecs, j'imagine.

— Ça m'aurait étonnée.

Beth était toujours très amère à propos de ce qui s'était passé avec Jeremiah. Ils étaient séparés depuis à peine une semaine et il s'était déjà débrouillé pour *coucher* avec une autre. Bon d'accord, c'était elle qui l'avait largué. Mais au moins avait-elle gardé sa culotte, *elle* – enfin, plus ou moins – et on ne pouvait pas en dire autant de lui.

— Ah les mecs. Ils ne pensent qu'à ça : aux nichons, aux nichons, aux nichons.

Elle avait déjà annoncé à Jeremiah que tout était terminé entre eux pour de bon. Il lui avait envoyé quelques e-mails de supplication, pour l'implorer de discuter avec lui, mais elle les avait effacés sans même les lire. S'il voulait rester avec elle, eh bien, il n'avait qu'à trouver un moyen de remonter le temps et d'effacer sa relation avec cette hippie d'Elizabeth. Voilà un superpouvoir sur lequel il ferait bien de se pencher.

— Tu devrais arrêter de ressasser cette histoire avec Jeremiah, conseilla Kara, comme si elle parvenait à lire dans les pensées de son amie.

Elle enroula autour de son index une mèche de ses cheveux bruns aux reflets miel raides comme des baguettes.

— Ça va finir par te bouffer.

Beth la regarda, surprise. Elle n'en revenait toujours pas de ne connaître cette fille que depuis cinq jours. Cette Fille en Noir qui vivait à côté du placard à balais et avait plusieurs cours en commun avec elle. Il avait suffi que Tinsley se pointe à la soirée de samedi vêtue d'une tenue sexy créée par la mère de Kara, pour que celle-ci passe du statut de moins que rien taciturne à celui de nana cool. Nana cool qui avait jeté une tasse pleine de bière tiède à la figure de Heath Ferro, se rappela Beth. Et aujourd'hui, elles se retrouvaient là : Kara allongée sur le lit de Beth, à côté d'elle, vêtue d'une jupe à volants noire à pois blancs et d'une chemise blanche ajustée, à écouter de la musique tarte des années 80 en examinant le corps des super héroïnes. En quelques jours seulement, tout avait changé.

— Je ne peux pas m'en empêcher, reconnut Beth en faisant tourner ses anneaux en or rose autour de ses doigts. Je suis tellement en colère contre lui.

— Tu sais que quand tu penses à lui, ton visage prend pratiquement la même couleur que tes cheveux, rit Kara en se remettant sur le dos.

Le coin de ses yeux brun vert très écartés étaient accentués par une légère touche de fard à paupières Urban Decay appartenant à Beth.

Elle était jolie – comme si elle ne craignait plus, enfin, que les gens la remarquent.

— En parlant de cheveux… commença Beth en plaçant une de ses boucles brillantes devant ses yeux pour l'examiner de plus près.

Sa chevelure avait quasiment la même teinte que le vernis Bourjois « Code Rouge » qu'elle venait d'appliquer sur ses ongles.

— On voit mes racines – je suis en retard pour ma teinture. Je crois que je vais opter pour un roux moins agressif ce coup-ci.

La première fois que Jacques, son coloriste, avait fait l'erreur d'utiliser sur elle un roux bleuté au lieu d'un roux cuivré, Beth avait été horrifiée, craignant que tout le monde ne se mette à l'appeler Crayola ou Muppet ou autre sobriquet de ce genre. Mais elle avait fini par s'habituer à cette couleur un peu punk-rock, qui l'empêchait pourtant de se fondre dans la masse de ses camarades toutes naturellement blondes ou authentiquement brunes.

— Ne fais surtout pas ça, intervint Kara en secouant la tête. Personne à Waverly n'a de cheveux comme les tiens. Tu ressembles à Jean Grey.

Elle feuilleta un de ses albums des X-Men et trouva l'image qu'elle cherchait pour la montrer à Beth.

— Bon, présenté comme ça, évidemment… rit celle-ci.

Elle aimait penser qu'il y avait quelque chose chez elle d'unique… qui ne la classerait pas pour autant dans la catégorie des filles bizarres ou super vulgaires, mais plutôt dans celle des filles cool à la couleur de cheveux unique en son genre. Elle passa sa main dans sa crinière pour dissimuler ses racines foncées.

— Tu sais, le conseil de discipline s'est réuni à l'heure du déjeuner aujourd'hui, et on a eu un cas qui impliquait des membres du – tiens-toi bien – club de Bouffe Compétitive.

— Quoi ? dit Kara en se mettant en position assise, ce qui fit joliment retomber ses cheveux derrière ses épaules, de fines mèches venant encadrer son visage. Qu'est-ce que c'est que ce truc ?

— Ils font des concours, genre, pour savoir combien de hot-dogs ils arrivent à engloutir en dix minutes.

Beth s'assit à son tour et fit face à Kara.

— Deux types de troisième – sûrement les deux seuls membres du club, à mon avis – ont été surpris en train de piquer *deux kilos* de hot-dogs crus dans le congélateur du réfectoire après le dîner la semaine dernière.

Kara haussa les sourcils avec incrédulité.

— Ils se sont défendus devant le conseil en prétendant « rassembler du matériel pour les activités du club », fit Beth en dessinant les guillemets en l'air de ses longs doigts. Et ils ont ajouté qu'ils « en étaient réduits à employer des méthodes clandestines car ils n'avaient reçu aucun financement ».

Elle roula des yeux.

— La gent masculine dans son ensemble souffre-t-elle d'une incapacité complète à agir sans recourir à ses instincts primaires ?

Kara s'appuya sur un coude et haussa ses frêles épaules.

— Eh bien disons qu'ils sont en troisième, quoi.

Sa bande dessinée glissa par terre, atterrissant bruyamment sur le parquet à côté de la pile de cahiers bien rangés de Beth. Tinsley et elle avaient éloigné leur lit au maximum lorsqu'elles avaient emménagé dans la chambre 121 de Dumbarton, mais ça ne suffisait toujours pas, le rempart de cahiers faisait une séparation supplémentaire.

— Oui, enfin, ce sont surtout des mecs – autrement dit, ils ne pensent qu'à leur satisfaction immédiate, sans envisager les conséquences futures. C'est vrai, quoi – regarde Elias…

Beth se redressa, pour rajuster le bas de son jean cigarette Citizens of Humanity.

— … Il souffre certainement de la même maladie. Je n'arrive toujours pas à croire qu'il ait emmené Callie dîner avec son père au lieu de Jenny.

Kara mordilla sa lèvre rose.

— J'ai vu Jenny hier soir au cours de dessin. Elle avait l'air tellement… triste.

Elle attrapa sa bouteille d'eau aromatisée sur la vieille table de chevet en chêne de Beth et but une longue gorgée.

— Tu crois qu'elle ne va vraiment pas s'en remettre ?

— Tu veux dire si Callie et Elias sortent à nouveau ensemble ?

Beth haussa les épaules. Elle n'en savait fichtre rien. C'était bizarre. Elle s'était tellement habituée à voir Callie et Elias en couple – ils avaient été quasiment inséparables l'année précédente – qu'elle avait trouvé étrange de le voir tout à coup avec quelqu'un d'autre. Mais finalement, à sa grande surprise, elle s'y était très vite faite. Elias lui avait toujours paru un peu trop... gentil pour Callie. Ses rapports avec Jenny semblaient plus naturels, comme si ces deux âmes d'artistes, de même sensibilité, s'étaient trouvées. Même si Beth ne croyait plus trop à ce romantisme à la con.

Cela dit, si Elias s'apprêtait à larguer Jenny, il ne devait sûrement pas être aussi gentil qu'elle l'avait cru, finalement.

— Jenny est plus solide qu'elle n'en a l'air, répondit enfin Beth, en se surprenant elle-même.

Elle tripota les anneaux d'or du haut de son oreille gauche. Ses oreilles aiguisaient toujours sa parano. Elle leur trouvait une ressemblance avec celles d'un elfe, et espérait que les boucles empêchaient les gens de les remarquer.

Kara hocha la tête et se mordit les joues, ce qui lui donna l'air d'un poisson rouge et fit rire Beth.

— Les mecs sont vraiment nazes, hein ?

— Grave. On se demande pourquoi on l'apprend seulement maintenant, quelqu'un aurait dû nous prévenir il y a des années.

Beth attrapa l'oreiller en duvet d'oie sur son lit et se mit à le pétrir. L'affirmation de Kara n'avait rien de spécial, mais elle déclencha chez Beth une réflexion accélérée. Les mecs étaient *vraiment, gravement* nazes. Pourquoi avait-elle l'impression d'être la dernière à le découvrir ?

— S'il existe à Waverly un foutu club qui oblige ses membres à engloutir le plus de bouffe possible, il faudrait aussi en créer un autre qui s'appellerait Les Types Sont Nazes – histoire de prévenir les bizuts avant que ce ne soit trop tard.

Kara haussa ses fins sourcils brun clair avec scepticisme, en passant sa main sur le bouchon de sa bouteille d'eau.

— Moi, j'adhèrerais, en tout cas, déclara Beth en reposant d'un geste théâtral son oreiller qui atterrit sans un bruit sur sa grosse couette.

Puis elle sauta de son lit pour se diriger vers l'iBook blanc posé sur son bureau.

— Ce serait un endroit où on pourrait se rassembler pour parler, se soutenir... poursuivit-elle, l'idée prenant forme dans sa tête.

Un peu dans l'esprit de ce qu'avait originellement proposé Tinsley avec son Cercle Café, bien que celui-ci se fût aussitôt transformé en excuse pour se soûler, faire des conneries et exclure le plus de personnes possibles. Beth s'assit à son bureau.

— Ça ne ferait pas de mal, un peu plus de solidarité féminine, par ici, tu vois ce que je veux dire ?

Kara hocha la tête et renchérit :

— En fait, je crois que c'est une idée géniale. On n'a qu'à préparer une invitation et la faire circuler.

Beth sourit à sa nouvelle amie et ouvrit son ordinateur. Elle avait beau se défendre d'adopter un comportement susceptible de contrarier Tinsley, elle frissonnait à l'idée de lancer un club plus intelligent que le Cercle Café de Tinsley (très creux, vachard et centré sur le sexe). Elle sentit ses yeux verts luire méchamment en allumant son ordinateur.

— Entendu. Mais avant d'envoyer quoi que ce soit, il faut qu'on choisisse notre liste d'invitées.

Et elle connaissait une certaine colocataire qui n'en ferait pas partie.

Boîte de réception

À : Destinataires inconnus
De : BethMesserschmidt@waverly.edu
Date : Mardi 8 octobre, 15 : 05
Objet : Femmes de Waverly

Salut à vous, estimées camarades,
Quelques-unes d'entre nous ont décidé de créer un club des Femmes de Waverly pour renforcer l'esprit de solidarité féminine sur le campus. On ne souhaite pas en faire quelque chose de trop formel, ni de rituel, rien de ce genre (pas de sacrifices de chèvres, s'il vous plaît), mais plutôt un endroit où les filles de Waverly pourraient se retrouver pour discuter de tous les problèmes ou inquiétudes qui sont les nôtres sur le campus. Sexe, amour, drogue, connards qui se font appeler des hommes – tous les sujets que vous avez envie d'aborder sont les bienvenus.
La première réunion officielle se tiendra ce soir à 20 heures, dans l'Atrium. Elle est ouverte à tous les membres féminins de la communauté de Waverly. La restauration nous fournira une collation et des boissons.
Œstrogènes power,
Bises
Beth Messerschmidt, *prefect*.

HibouNet

Messages instantanés
Boîte de réception

JulianMcCafferty :	Vieux, où se trouve la salle de projection de Septième Art exactement dans Hopkins Hall ? Je n'y suis jamais allé.
HeathFerro :	Bizarre, ta question. Avant d'y répondre, j'exige une explication : pourquoi tu veux savoir ?
JulianMcCafferty :	Rien de croustillant, Ferro. Je veux juste devenir membre du club.
HeathFerro :	C'est au sous-sol, ducon.
JulianMcCafferty :	Merci. Tu es vraiment adorable.
HeathFerro :	Bisous.

3

UN HIBOU INTELLIGENT TIRE PROFIT DES RESSOURCES EXTRAORDINAIRES QU'OFFRE WAVERLY.

Tinsley Carmichael traînait dans la salle de projection de Hopkins Hall après que signor Giraldi avait libéré sa classe d'italien niveau avancé. Ils venaient de voir *La Strada* de Fellini – c'était mieux que rester assis dans une vieille salle de cours pourrie à observer les postillons se former à la commissure des lèvres du signor Giraldi lorsqu'il conjuguait les verbes italiens. Regarder des vieux films, surtout des vieux films étrangers, dans le noir, installée sur ces fauteuils en cuir à dossier inclinable de la salle de projection mettait Tinsley dans tous ses états. Il n'y avait rien de plus sexy qu'un cinéma. Elle avait envie de dévorer quelqu'un tout cru. Quelqu'un en particulier, en fait.

— Je peux fermer, *signor*, ronronna Tinsley tandis que ses camarades quittaient la salle et que signor Giraldi tentait de faire croire qu'il n'avait pas dormi pendant tout le film. J'avais prévu de préparer un peu la réunion du club Septième Art de cette semaine, si ça ne vous dérange pas. Je veillerai à bien refermer derrière moi.

Signor Giraldi jeta un coup d'œil à sa montre. La rumeur disait que sa femme et lui, qui vivaient à Thompson Hall, dans l'un des dortoirs de filles, avaient rendez-vous pour un plan cul tous les mardis à 15 h 30 précises – une chance pour ses élèves du mardi après-midi, qu'il laissait toujours partir un peu plus tôt.

— *Grazie*, Signorina Carmichael.

Signor Giraldi lui adressa un sourire absent avant de foncer hors de la salle. Apparemment, les films italiens en noir et blanc l'excitaient lui aussi.

À la seconde où elle se retrouva seule, Tinsley tamisa les lumières et posa ses bottes en cuir brun Isabella Fiore à talons sur le bras du fauteuil devant elle. Elle remonta l'ourlet de sa minirobe en mohair orange foncé plus haut sur sa cuisse. Avec ses épais cheveux noirs qui retombaient en rideaux raides de chaque côté de son visage, séparés par une parfaite raie au milieu, elle se sentait comme une go-go girl super sexy des années 70. Elle ferma les yeux et attendit Julian.

La porte insonorisée grinça derrière elle.

— Salut.

Tinsley serra fort les paupières. Son cœur se mit à battre avec précipitation dans sa poitrine. Trois jours s'étaient écoulés depuis qu'ils s'étaient retrouvés seuls tous les deux. La veille, lors du dîner, ils étaient installés face à face à une table, entourés de leurs amis, et bien que Tinsley ait eu tout le loisir de sentir le poids du regard de Julian, elle s'était refusée à le traiter différemment des autres garçons. Autrement dit, elle avait flirté avec lui, mais ni plus ni moins qu'avec tous les autres. Elle avait eu la sensation d'être Lily Barth, la séductrice impénitente de *Chez les Heureux du monde*, un livre qu'elle avait découvert à l'âge de treize ans et relisait tous les étés depuis. Elle avait relevé la déception de Julian, mais c'était ainsi. Elle ne pouvait décemment pas permettre à tout le campus d'apprendre qu'elle se tapait un élève de troisième.

Tinsley remua sur son siège. Dix secondes s'étaient écoulées depuis que la porte s'était ouverte. Et si ce n'était pas lui ? Elle ouvrit les yeux d'un coup.

— Ah ! couina-t-elle.

Julian se trouvait à moins d'un mètre, appuyé sur le dossier du fauteuil devant elle, il la regardait.

— La vache ! Tu m'as fait super peur.

Des frissons lui parcoururent le dos. Elle avait horreur des surprises – presque autant qu'elle les adorait.

— Désolé, milady.

Julian sortit sa main gauche de derrière son dos, révélant une unique fleur rose et blanche.

— Pour toi.

Tinsley huma poliment le bouton, en feignant de ne pas être impressionnée. En réalité, elle adorait que les garçons lui offrent des cadeaux. L'année précédente, Bradley Alexander, un joueur de hockey de terminale, qui avait entendu parler de sa gourmandise, avait tenté de la séduire avec des bonbons, embauchant des filles de Dumbarton pour déposer des sachets de crocodiles gélifiés devant sa porte et des toutes petites boîtes de chocolats Godiva dans sa boîte à lettres chaque jour. Elle avait apprécié qu'il redouble d'attention, mais Tinsley ne pouvait avaler qu'une quantité limitée de sucreries sans engraisser.

— Merci, dit-elle en glissant la fleur derrière son oreille.

Julian faisait courir ses mains sur les dossiers des fauteuils en cuir, sans quitter Tinsley des yeux. Il portait une chemise Abercrombie bleue à fines rayures, les manches remontées juste en dessous des coudes et un jean baggy True Religion taché d'herbe aux genoux.

— C'est génial. Notre propre ciné perso, remarqua-t-il.

Tinsley se leva lentement et avança d'un pas vers lui. Elle sentait la chaleur qui émanait de son corps.

— Mon ciné perso, tu veux dire, ronronna-t-elle sans le toucher.

Il sentait un peu la sueur, et Tinsley savait que ses lèvres auraient un goût de sel, un goût viril. Mais elle n'était pas encore prête.

Il essaya de poser une main sur ses hanches, elle s'écarta.

— Assieds-toi. Mets-toi à l'aise, ordonna-t-elle d'une voix sensuelle.

Julian obéit et s'installa dans le fauteuil que Tinsley venait de libérer. Certains garçons éprouvaient le besoin de contester son autorité, mais elle aimait que Julian, comprenne sa règle du jeu.

Et elle avait prévu de le récompenser. Une fois Julian assis, Tinsley se percha sur l'accoudoir droit de son fauteuil, jambes étendues sur ses genoux, talons sous l'accoudoir gauche.

— Je t'ai vue sortir de Stansfield avec Benny aujourd'hui... Ces bottes... dit-il en geignant un peu.

Il secoua la tête et promena son doigt en haut d'une de ses bottes avant de remonter lentement sa main jusqu'à son genou, qu'il pressa doucement. Elle gloussa et lui donna une petite tape.

Julian fit mine d'être vexé.

— Attends, tu me tortures toute la journée avec tes textos aguicheurs, tu te pointes dans cette tenue de hippie ultra-sexy, tu m'attires dans ton repaire secret et maintenant tu m'interdis de te toucher ?

Julian posa sa tête sur le dossier, une expression peinée sur son joli visage.

— Tu vas bien être obligée de m'accorder quelque chose..

— Tu n'avais pas vraiment l'air torturé à midi, pendant que tu draguais Celine Colista.

Elle se laissa glisser le long de l'accoudoir vers lui, sans le toucher, mais en le frôlant presque.

Julian s'esclaffa de sa voix profonde et rocailleuse.

— Ah, voilà le problème ? Je suis puni parce que je me suis montré sympa ?

Elle appréciait qu'il ait compris qu'elle plaisantait. Comme si elle craignait vraiment qu'un mec lui préfère une fille avec des chevilles aussi épaisses que Celine.

— Eh oui. Tu as été très, très vilain.

Julian lâcha un gémissement lorsque Tinsley passa ses longs ongles à l'intérieur de son col, il adorait visiblement les sentir sur son cou. Elle se pencha vers lui avec une lenteur délibérée, sa bouche approchant de la sienne au ralenti. Lorsqu'elle se trouva à environ cinq centimètres, assez près pour distinguer les minuscules étincelles dorées dans l'iris de ses yeux, Julian s'avança brusquement et pressa sa bouche contre la sienne. Un frisson parcourut le corps de Tinsley – sa bouche avaient bien un goût de sel – et elle glissa de son accoudoir jusque sur ses genoux.

— Il faut que j'aille à l'entraînement, souffla-t-elle, hors d'haleine.

Elle ne pensait pas tant au sport qu'à s'éloigner de Julian. Elle paniquait un peu de se sentir aussi à l'aise avec un garçon.

Ses grands bras l'enlacèrent.

— Tu vas me tuer. Je croyais qu'on allait regarder un film, genre *Casablanca*, et faire comme si on était perdus dans le désert...

Il l'embrassa doucement sur la clavicule.

— J'aime cet endroit, dit-il avant d'y redéposer un baiser.

Très vite, Tinsley échappa à son étreinte et se mit debout en rajustant sa robe. *Respire profondément. Il n'est pas Humphrey Bogart, tu n'es pas Ingrid Bergman. C'est ton boy toy de troisième, et il est temps d'y aller.*

— Ça te dit qu'on se retrouve ce soir à Maxwell ? Pour prendre un café ? Se tripoter dans un coin sombre ? proposa Julian avec un sourire en coin en se levant à son tour.

— Julian, le réprimanda-t-elle en lui passant la main dans les cheveux. On doit rester discret. On ne peut pas se montrer ensemble n'importe où.

— Et si moi je viens ? De nuit ?

Julian se mit à fouiller dans ses poches. Il en sortit un Zippo en platine gravé aux initiales JPM et le lui tendit.

— Prends ça. À la nuit tombée, je guetterai ta fenêtre. Allume-le trois fois et je saurai que je peux me pointer tranquille.

Tinsley gloussa et regarda le briquet dans sa main. C'était cucul, bien sûr, mais aussi incroyablement adorable. Elle le prit.

— Attention à ne pas te faire prendre, l'avertit-elle en se rapprochant de la porte d'un pas léger.

— Je porterai ma cape d'invisibilité, promis, dit Julian en plaçant sa main sur son cœur pour parodier un serment.

Tinsley s'arrêta sur le seuil et alluma plusieurs fois le briquet. Elle adressa à Julian son regard le plus ravageur, tourna les talons et disparut.

Toujours leur donner envie d'en obtenir davantage.

HibouNet | Messages instantanés Boîte de réception

BennyCunningham :	Attention, potin croustillant : ai vu M. Kentucky et Betty Boop en train de discuter dans la cour aujourd'hui, l'air pas vraiment en bons termes.
HeathFerro :	Oh-oh, on dirait que la lune de miel est finie ! Tu crois qu'il s'est remis avec la belle de Georgie ?
BennyCunningham :	Crois pas. Callie n'est pas du genre à oublier ni à pardonner si vite. Mais j'en saurai + ce soir à la réu des Femmes de Waverly.
HeathFerro :	C'est quoi ce truc ?
BennyCunningham :	Désolée, Heathie. C'est réservé aux filles.
HeathFerro :	Mais c'est ces clubs-là que je préfère !

4

DANS LE DOUTE, UN HIBOU DE WAVERLY CONSULTERA L'INCONTOURNABLE RÈGLEMENT DE L'ÉCOLE.

Brandon Buchanan attrapa un tee-shirt Lacoste fraîchement lavé dans le tiroir de sa commode et prit le temps, avant de l'enfiler, d'observer ses biceps dans le miroir en pied couvert de buée de Heath Ferro. Il avait mis l'accent sur la muscu depuis que Julian McCafferty avait rejoint l'équipe de squash, ce qui l'avait obligé à forcer un peu plus à l'entraînement, à bouger un peu plus vite, à réagir un peu plus rapidement. Il n'allait tout de même pas laisser un bizut lui piquer sa place de joueur star de l'équipe. Depuis deux semaines, tous les soirs après l'entraînement, il fonçait à la salle de sport pour soulever un peu de fonte pendant une heure. Il trouvait ça chiant comme tout, et il avait des courbatures le lendemain, mais il était presque sûr de commencer à en voir les résultats.

Et il aurait parié qu'Elizabeth avait remarqué, elle aussi. Elizabeth, la fille très funky de St Lucius qui avait débarqué à la soirée de Dumbarton pour courir après Jeremiah et avait fini par passer la soirée avec Brandon. Elizabeth, avec sa veste en Skaï, ses sabots, et qui obsédait Brandon désormais. À un moment, le samedi soir, alors qu'ils s'embrassaient dans les tunnels sombres sous le campus, elle avait pressé son biceps et murmuré à son oreille, en exhalant son haleine chaude contre sa joue : « Joli. » Brandon en avait conclu qu'elle lui parlait de ses muscles, en tout cas, et pas de son déodorant Hugo Boss, même s'il avait pu se tromper. Elizabeth était du genre follement imprévisible – même comparée aux autres filles.

Raison pour laquelle, entre autres, il éprouvait tant de plaisir à penser à elle. Elle n'était pas comme toutes ces coincées de Waverly qu'il avait l'habitude de fréquenter. Il se demandait ce qu'elle pouvait faire en ce moment – était-elle encore en cours ? Peut-être était-elle retournée dans sa chambre, en train de danser sur la musique de KT Tunstall en sous-vêtements. Des images de ce type étaient venues le distraire agréablement depuis l'instant où elle était partie sur sa Vespa vert d'eau en direction de St Lucius et qu'il avait regardé disparaître ses feux arrière dans la nuit. Une fois de retour dans sa chambre, Brandon avait été ravi de constater que Heath n'était pas encore rentré – il avait sûrement forcé quelque pauvre fille de Dumbarton à l'accepter dans son lit en disant qu'il « avait besoin qu'on le serre dans les bras ». Brandon avait donc pu s'endormir avec le parfum d'Elizabeth – une fragrance naturelle et citronnée – au lieu des relents envahissants de Heath Ferro et de son ego.

Il avait attendu quelques jours avant de la rappeler, parce qu'il savait pertinemment que les filles étaient facilement rebutées par un mec trop collant. Mais il avait suffisamment patienté désormais. Il glissa son kit main libre Bluetooth dans son oreille, exhiba une dernière fois ses biceps devant la glace pour se porter chance, mais avant qu'il ait eu le temps de composer le numéro d'Elizabeth, la porte s'ouvrit d'un coup sur Heath, qui se précipita à l'intérieur, hors d'haleine.

Brandon s'empressa de s'éloigner du miroir, attendant l'inévitable « Tu faisais quoi ? Tu te roulais des pelles à toi-même ? » ou « Elle ne grossira pas parce que tu la fixes dans la glace. » Mais Heath était trop distrait pour lui accorder plus qu'un simple hochement de tête. Il s'effondra à genoux à côté de son lit défait, de sous lequel il sortit des chaussures égarées, du linge sale, qu'il jeta au milieu de la pièce. Brandon observa avec dédain le tas qu'il était en train de former.

— T'as enfin réussi à trouver un petit trou pour mater les filles dans les douches ? Tu cherches ton appareil photo ?

— Je sais qu'il est quelque part là-dessous, marmonna Heath en enfonçant sa tête et ses épaules sous son lit avant de s'extirper de là.

Sans conviction, il tira un sac Louis Vuitton coincé sous le lit, qu'il abandonna immédiatement. Il se releva d'un bond, éternua bruyamment, ses cheveux blonds en bataille étaient couverts de moutons de poussière, puis il traversa la pièce en direction de la bibliothèque de Brandon. Il se tapota le ventre avec impatience en scrutant chaque rayonnage.

— Qu'est-ce que tu fiches à la fin ?

Brandon soupira lourdement et se retourna. Il attrapa son déodorant sur sa commode, le passa sur ses aisselles.

— Hardy, Eliot, Hemingway. Qu'est-ce que tu peux bien foutre avec tous ces bouquins ? lança Heath.

Il éternua de nouveau. *Génial. Continue à répandre tous tes microbes.*

— Ha ha ! s'exclama Heath en attrapant un livre relié de cuir noir sur la troisième étagère en partant du bas.

Brandon aperçut son titre, en lettres dorées : *Le Règlement de Waverly.*

— Tu cherches de nouvelles combines pour te faire renvoyer ? demanda Brandon en s'installant sur son épaisse couette bleu marine.

Heath se laissa tomber sur son lit et feuilleta d'un air distrait les pages du manuel.

— Nan. Hé, t'es au courant pour ton pote Walsh ?

Bien que concentré sur la tâche secrète qui l'occupait à présent, Heath ne pouvait visiblement pas s'empêcher de répandre les derniers ragots.

Brandon réprima un grognement en entendant le nom d'Elias.

— Quoi ?

— Ben rien, justement.

Heath plissa les yeux l'air pensif devant une page, puis passa à une autre, parcourant de l'index les paragraphes, à la recherche de quelque chose.

— Il paraît que Jenny l'a envoyé paître. Callie aussi. Elles en avaient marre de ses conneries. On passe à autre chose, etc. etc.

— Sans déconner ?

C'était une sacrée bonne nouvelle. Même si Brandon s'était plutôt bien remis de sa rupture avec Callie, il n'avait toujours pas spécialement envie de la voir avec ce connard d'Elias Walsh. Et Jenny était carrément trooooop bien pour lui aussi. *Enfin* cet abruti avait obtenu ce qu'il méritait. Il y avait peut-être eu un genre d'alignement cosmique, les forces du Bien dans le monde s'étaient réunies pour empêcher Walsh de balader deux des plus jolies filles du campus. C'était pas trop tôt.

— T'es sûr ?

Heath haussa les épaules, il ne voulait toujours pas lever les yeux du manuel.

— C'est ce que me disent mes espions.

Brandon ôta son téléphone de son oreille, le jeta sur son lit. Il appellerait Elizabeth plus tard, depuis un endroit privé, débarrassé de la présence de Ferro.

— Je le savais ! hurla soudain ce dernier en brandissant triomphalement le règlement.

Avant que Brandon ait pu lui demander de quoi il s'agissait, Heath se précipita hors de la chambre en agitant le livre au-dessus de sa tête, l'air plus ravi que s'il venait bel et bien de trouver un petit trou pour mater dans la douche des filles.

Parfois, surtout avec Heath, il valait mieux ne pas poser de question.

5

UN HIBOU DE WAVERLY NE MENT JAMAIS À SES PARENTS – NI À SA COLOCATAIRE.

Callie Vernon se dépêcha de regagner sa chambre après les cours en ce mardi après-midi, pressée de poser son gros sac en cuir Chloé et d'ôter sa jupe crayon Cynthia Rowley. La fermeture Éclair à l'arrière lui rentrait sans cesse dans la colonne vertébrale, Callie était à deux doigts de l'arracher. Elle s'arrêta un instant devant la porte des Pardee, à laquelle Benny, Rifat Jones et quelques autres, avaient collé l'oreille pour écouter la bagarre qui se déroulait à l'intérieur.

— Là, ils donnent tout ce qu'ils ont, murmura Rifat à l'approche de Callie, en enfilant un sweat-shirt Waverly bordeaux sur son long torse mince.

— Tu viens de rater une sacrée volée d'insultes, ricana Benny, adossée au mur avec désinvolture, déjà habillée pour l'entraînement. C'était génial.

Elles s'amusaient toujours à écouter les disputes des Pardee – tous les autres dortoirs jalousaient Dumbarton qui avait hérité du couple le plus instable de l'école – mais Callie avait du pain sur la planche. Elle regarda Benny en haussant les sourcils et grimpa les marches.

Au moment où elle ouvrit la porte de la chambre 303, elle se figea.

— Non, je te jure, papa, tout va bien. *Je t'assure*, insistait Jenny, au téléphone.

Callie demeura sur le seuil, son gros fourre-tout pesant sur sa hanche, la fermeture Éclair entamant le tissu délicat de sa veste en satin Diane von Furstenberg. *Merde.*

Jenny se retourna, ses grands yeux bruns s'écarquillèrent à la vue de Callie. La gaieté forcée de son ton jurait avec son regard, triste. Ces quelques derniers jours, Callie avait en quelque sorte réussi à se persuader que toute cette histoire avec Elias n'avait pas affecté Jenny plus que ça. Cette dernière avait appris que Callie et Elias étaient allés dîner en compagnie de M. Walsh, mais elle ignorait tout de leurs baisers dans le placard, plutôt intenses. Et en voyant sa petite colocataire toute triste, Callie tenait absolument à ce qu'elle ne l'apprenne pas.

Elle articula les mots « Tu veux que je te laisse ? » mais Jenny secoua vigoureusement la tête, ce qui fit danser la masse de boucles brunes autour de son visage pâle, puis elle se concentra de nouveau sur le petit téléphone noir qu'elle avait à l'oreille.

— J'avais juste envie de… te dire bonjour. J'ai entraînement, alors il faut que je file, mais je te rappelle plus tard… Moi aussi je t'aime.

Callie s'engouffra dans la chambre d'un pas résolu, décidée à se montrer extrêmement joyeuse, espérant inciter Jenny à se débarrasser de son air déprimé. Elle laissa tomber son sac fourre-tout plein de livres d'espagnol sur son lit et essaya de ne pas fixer les yeux bouffis de sa colocataire. Avait-elle *pleuré* ? Mais à ce moment-là, Jenny lâcha un petit éternuement de lapin tout mignon et Callie se sentit soulagée : elle souffrait peut-être simplement d'allergies à cause de l'automne par exemple, donc, aucune raison pour qu'elle ait appelé son père afin de trouver un peu de réconfort à propos d'Elias.

— Je ne voulais pas interrompre ton coup de fil, dit Callie.

Jenny reposa son téléphone sur sa commode et rassembla ses longs cheveux derrière la tête, en faisant habilement glisser un élastique de son fin poignet pour les maintenir en place.

— Non, ne t'en fais pas. Mon père aime bien que je l'appelle de temps en temps, sinon il finit par se persuader que j'ai adhéré à une secte ou je ne sais quoi.

— Les parents s'inquiètent toujours trop, dit Callie en hochant la tête d'un air complice. Quoiqu'une secte n'est pas ce qui ferait le plus peur aux miens…

Elle aimait bien Jenny, vraiment, mais Elias s'était immiscé entre elles comme un nuage d'orage menaçant et elle aurait juré que toutes deux entendaient ses grondements au loin.

— Quand ils parlent du pensionnat, on dirait qu'il s'agit d'une autre planète. Je sais que ça rend ma mère dingue de ne pas m'avoir à l'œil quand je suis ici, reprit Callie.

Jenny soupira en fouillant dans son tiroir à la recherche de ses vêtements de sport.

— Pour mon père, c'est comme si j'allais faire mes premiers pas sans qu'il soit là pour voir ça.

— C'est mignon.

Callie ôta son pull sans manches col cheminée Ralph Lauren, qui fit disparaître un instant sa tête dans un tunnel de cachemire puis sous des mèches de cheveux hérissés par l'électricité statique. Jenny n'était effectivement qu'une gamine, après tout. Elle avait quoi, quinze ans ?

— Ma mère craint que je ne lui fasse honte et qu'elle ne puisse pas m'engueuler après.

Elle haussa les épaules. Dans son esprit, le père de Jenny était le genre tonton préféré super gentil qui porte des gros pulls tricotés à la main et des chaussures de randonnée, vous serre très fort dans les bras et même, vous fait tourner et virevolter dans la pièce. Sa mère à elle était du genre à lui envoyer des bisous dans le vide dès qu'elle la voyait.

Callie approcha du rebord de la fenêtre et alluma les enceintes de son iPod, elle baissa le son en entendant hurler les Donnas. À travers la vitre épaisse, elle voyait une poignée de filles en maillot de foot ramasser les feuilles mortes pour les mettre en tas. Ça avait l'air rigolo. Ça lui rappelait l'année passée, à la même époque, quand Elias et elle sortaient ensemble depuis peu. Ils ne pouvaient pas s'empêcher de se tripoter et filaient aux écuries à chaque occasion pour se retrouver seuls. Elle surprit son reflet dans la glace – avec son soutien-gorge push-up Calvin Klein, elle semblait fragile et pâle. Pas le genre de fille qui plaisait à Elias au point de sortir avec elle.

— Je n'arrive toujours pas à croire que ta mère soit gouverneur, dit Jenny en extrayant de son tiroir un tee-shirt jaune vif où était dessiné un gros smiley. J'imagine que ça doit être un peu chiant, mais ça a l'air tellement… glamour !

— Tu sais, on s'en lasse vite…

Callie jeta un coup d'œil à Jenny par-dessus son épaule, de dos, qui se débattait pour mettre son soutien-gorge de sport bleu roi sur son imposante poitrine. Callie baissa les yeux vers ce qui n'était désormais plus que des bonnets A. Elle n'avait jamais pu remplir tout à fait un haut de bikini, et depuis la fin de l'année dernière, elle avait perdu du poids et ses seins avaient malheureusement très vite disparu.

— … Imagine, à la moindre bourde, tout le monde est au courant.

— Au fait, euh… commença Jenny, qui enfilait son short de sport Adidas noir, en rougissant un peu.

Elle resserra sa queue-de-cheval, quelques petites taches de rousseur ornaient la peau pâle de ses bras minces.

— … J'ai demandé à Elias de m'accorder un peu de temps pour réfléchir…

— Vraiment ?

Callie fixa son regard sur le panneau d'affichage au-dessus de son bureau, en faisant mine de vérifier le programme des matches de hockey sur gazon qui y était punaisé, incapable d'affronter directement le regard pur et honnête de sa colocataire. Elle était fière d'avoir poussé Elias à se calmer et à faire son choix – tout en regrettant qu'il ne l'ait pas déjà élue une bonne fois pour toutes – mais elle se demandait ce que cette dernière nouvelle signifiait pour elle.

— J'ai… l'impression de ne jamais savoir ce qu'il a dans la tête, en fait, reconnut Jenny, l'air un peu gêné.

— Oui, personne ne le sait jamais.

Callie ramassa le pull qu'elle avait laissé tomber par terre et se tourna vers Jenny en tapotant son doigt parfaitement manucuré sur sa tempe.

— Il est complètement frappé.

Jenny pouffa et s'empara de sa crosse de hockey, qu'elle avait posée dans un coin.

— On peut dire ça comme ça.

Lorsqu'elle regarda de nouveau Callie, une esquisse de sourire était apparue sur sa petite bouche rose.

Callie jeta son pull devant son placard, sur une pile déjà existante. Le souvenir d'avoir trouvé Elias accroupi derrière cette porte, en train de se cacher, fit battre le sang à ses oreilles. Elle s'était glissée à côté de lui dans le noir, avait refermé la porte, et là, entourés d'une forêt de vêtements hors de prix, ils avaient ri, s'étaient embrassés… Ce moment constituait l'un des meilleurs de sa vie, jusque-là.

Elle prit une grande inspiration, en se demandant si Jenny parvenait à entendre parler son cœur de l'autre côté de la pièce – c'était quoi déjà, cette histoire super flippante d'Edgar Allan Poe ? Celle où le cœur battant d'un cadavre finissait par confondre son meurtrier, qui se faisait arrêter par la police ? Ou bien était-ce la culpabilité du tueur qui finissait par avoir raison de lui ? Callie aurait dû mieux écouter le cours de littérature de Mlle Rose.

Elle enfila rapidement un pantacourt noir Nike, un tee-shirt blanc tout simple et son sweat-shirt bordeaux Waverly, trop grand de trois tailles environ. Un pied en équilibre sur son bureau, Jenny se penchait sur sa jambe, pour étirer ses tendons. Avec son short de gym, son sweat Berkeley gris délavé à capuche, ses cheveux remontés en queue-de-cheval, elle était mignonne, adorable, mais à peu près aussi menaçante qu'un yaourt à la vanille.

— On y va ensemble ? proposa un peu timidement Callie.

Bien que colocataires depuis plus d'un mois maintenant, elles ne s'étaient pas une fois rendues ensemble à l'entraînement. Callie s'était toujours trouvée trop… *quelque chose.* Mais désormais, elle se sentait… Quoi ? Généreuse, peut-être ? Elle pouvait se permettre de se montrer un peu plus sympa envers sa petite coloc.

Après tout, l'une d'entre elles aurait le cœur brisé – et Callie savait que ce ne serait pas elle.

HibouNet Boîte de réception

De : biereman101@hotmail.com
À : HeathFerro@waverly.edu
Date : Mardi 8 octobre, 16 : 13
Objet : Ton jour de chance

Ferro :
J'ai récupéré 2-3 tonneaux gratos d'une micro-brasserie qui ferme boutique et je te fais une grosse réduc' dessus.
Saute sur l'occase – ils ne dureront pas.
BM

HibouNet Boîte de réception

De : HeathFerro@waverly.edu
À : biereman101@hotmail.com
Date : Mardi 8 octobre, 16 : 16
Objet : Re : Ton jour de chance

Vieux,
C'est tentant, mais je ne prendrai plus le risque d'avoir de la bière sur le campus. On a eu trop chaud la dernière fois...
H.F.

HibouNet Boîte de réception

De : biereman101@hotmail.com
À : HeathFerro@waverly.edu
Date : Mardi 8 octobre, 16 : 17
Objet : Re : Re : Ton jour de chance

Et hors campus ? Ma grand-mère a une énorme grange en dehors de la ville, je te fais un prix d'ami si tu veux l'utiliser. Bottes de foin, épis de maïs, bonne odeur de verdure – et le plus important, bière pas chère.
Qu'est-ce que t'en dis ?

HibouNet Boîte de réception

De : HeathFerro@waverly.edu
À : biereman101@hotmail.com
Date : Mardi 8 octobre, 16 : 19
Objet : Re : Re : Re : Ton jour de chance

Intrigué...

6

UN HIBOU DE WAVERLY DOIT ÊTRE À L'ÉCOUTE D'UN CAMARADE HIBOU S'IL LANCE UN APPEL À L'AIDE – MÊME S'IL NE PEUT PAS LE SENTIR.

Elias traversait les bois à pied, les jambes douloureuses et fatiguées après deux heures d'équitation. À chaque fois qu'il était préoccupé, il partait en balade avec Credo. Il y avait quelque chose dans les grands yeux bruns de sa jument, lorsqu'ils se posaient sur lui avec cette confiance sans bornes, qui lui mettait du baume au cœur. Parce que, depuis une semaine, il se sentait vraiment comme une merde. Chaque fois que l'image de Callie ou Jenny surgissait dans son esprit, il se répétait d'un air malheureux, *Je suis un con* – et cela se produisait environ toutes les fractions de seconde. Credo elle se fichait bien qu'il soit con, cela dit. Elle tapait toujours gaiement du sabot en le voyant arriver dans les écuries, elle ne lui demandait pas où il était passé, ni avec qui ni à quoi il pensait.

Il était allé directement aux écuries après sa conversation avec Jenny devant la salle de dessin. Pourtant, on ne pouvait pas dire qu'il avait beaucoup parlé – il n'avait pas été fichu de trouver les bons mots. D'ailleurs, il avait même été incapable de trouver les *mauvais* – puisqu'il s'était contenté de ne rien dire. Une grande balade bien physique s'imposait pour se remettre les idées en place et prendre une décision.

Le seul problème c'était que ça n'avait pas marché. Alors au lieu de dîner au réfectoire et de se voir demander pour la millionième fois, par quatre-vingts personnes différentes, s'il sortait avec Jenny ou Callie, il avait opté pour celles de marcher jusqu'à l'affleurement rocheux dans les bois, juste à côté du parcours navigable, pas très loin du coin secret où il allait peindre. Elias s'adossa en soupirant à un rocher froid, et tira un cigare de sa poche. Il avait piqué deux Cubains dans l'étui en cuir noir de son père pendant que celui-ci était aux toilettes lors de leur dîner au Petit Coq. C'était l'occasion parfaite pour s'en griller un et se concentrer.

Il pouvait peut-être dresser une liste. Genre, avantages et inconvénients. N'était-ce pas ce que faisaient les gens lorsqu'ils n'arrivaient pas à choisir entre deux options ? Mais l'idée de réduire Callie et Jenny, deux filles réelles, bien vivantes, à un catalogue de défauts et de qualités lui donnait envie de se tirer dans le pied. Ou dans la tête. Enfin bon, peut-être pas, quand même.

Elias aspirait une grande bouffée de son cigare lorsqu'il entendit un bruit sur le chemin. Il retint la fumée dans ses poumons un moment, attendant de voir s'il s'agissait d'un professeur, ce qui lui vaudrait sûrement des ennuis. Mais soudain Brandon Buchanan apparut, très rouge, vêtu d'un tee-shirt blanc trempé de sueur et d'un short de course, son sac de squash en vinyle à l'épaule, téléphone argenté à la main.

— Pardon, vieux, marmonna Brandon en passant sa main dans ses cheveux hirsutes, trempés de sueur.

Il adressa à Elias un petit signe d'excuse et commença à rebrousser chemin.

Elias réalisa alors qu'il n'avait pas envie de rester seul.

— Rien ne t'oblige à partir. Assieds-toi, si tu veux…

Brandon le regarda un instant, comme s'il pouvait s'agir d'un piège, puis il fit un pas en avant et désigna le cigare de la tête.

— T'en as un pour moi ?

Chaque fois que Brandon lui adressait la parole, Elias avait l'impression qu'il essayait de baisser le ton de sa voix d'une octave.

Elias ouvrit la poche de sa veste Patagonia noire et en tira le second Cubain.

— Tiens.

— Tu as du feu ?

Elias lui tendit son briquet en plastique kitch, décoré d'une danseuse hawaïenne, que Brandon gratifia d'un regard appréciateur.

— Joli, commenta-t-il.

Il alluma son cigare et s'appuya maladroitement contre l'un des rochers. Il jeta un coup d'œil rapide autour de lui, comme s'il ne savait toujours pas très bien ce qu'il fichait là.

— Alors… dit Brandon avant d'inspirer profondément. Comment va ? ajouta-t-il, la bouche pleine de fumée.

Elias soupira, le regard perdu dans les volutes bleuâtres qui montaient de leur cigare, droit vers la tache de ciel violacé visible à travers la masse des arbres qui les entouraient. C'était complètement dément, de se retrouver à fumer des barreaux de chaise avec Brandon, le type à qui il avait piqué sa copine l'année précédente – ce type qui l'observait toujours du coin de l'œil comme s'il avait envie de lui casser la gueule sans pour autant avoir le cran de le faire.

— J'ai connu mieux, répondit Elias avec ironie.

Il fixa Brandon un moment, tentant d'évaluer sa capacité à l'empathie. Eh merde – pourquoi ne pas tout lui balancer ?

— C'est juste que je suis complètement... largué, bafouilla Elias. Je ne sais vraiment pas avec qui je dois sortir.

De sa main libre, il attrapa ses cheveux en bataille, qui avaient désespérément besoin d'une coupe. Son père avait d'ailleurs frôlé la crise cardiaque en voyant sa tignasse la semaine passée.

— Tu veux mon avis ? demanda Brandon, le cigare pendu à ses lèvres bizarrement roses.

Il n'avait même pas l'air de souhaiter la mort d'Elias, pour une fois. Mais il fallait noter que le samedi précédent, Brandon avait pas mal fricoté avec cette mystérieuse fille de St Lucius – peut-être avait-elle eu pour effet de le calmer, de lui faire un peu oublier Callie. Eh bien, tant mieux pour Brandon. La nana était canon d'ailleurs.

— Euh, ouais, dit Elias en tenant son briquet merdique au bout de son cigare pour le rallumer. Je ne dis pas non.

— D'accord. Alors je vais être franc. Je sais que Jenny est vraiment une fille extra et tout, mais est-ce que vous ne vous êtes pas un peu précipités ? C'est vrai, elle était à peine arrivée que vous sortiez déjà ensemble.

Brandon expira sa fumée dans l'air nocturne. Elias s'était douté que Jenny lui plaisait aussi.

— Oui, j'admets que ça s'est passé très vite.

Elias se revit la première fois où il avait vraiment discuté avec Jenny, le soir où il était entré en douce dans la chambre de Callie, quand celle-ci avait disparu. Il s'était assis sur le lit de Jenny et tout chez elle – son odeur, son visage ensommeillé, sans maquillage, ses cheveux dans tous les sens, sa voix douce, étrange – tout semblait l'exact opposé de Callie.

—... Mais bon, ça a tout de suite collé entre nous.

— Je vois, bien sûr. Comprends-moi bien – je te trouve vraiment con de ne pas être super amoureux de Jenny, elle est tellement *adorable*...

Brandon parlait avec le cigare dans la bouche, ce qui rendait son discours un peu difficile à comprendre, mais Elias en saisissait l'idée.

—... Enfin ça ne te surprend pas d'être passé de Callie à, disons, l'anti-Callie ?

Elias chercha une explication à cela. Son malheureux périple à Barcelone pour rendre visite à Callie, pendant l'été lui revint immédiatement à l'esprit. Une combinaison de circonstances – ses vacances chiantes à mourir dans le Kentucky, sa frustration à l'idée de devoir passer une année supplémentaire à l'étouffante Waverly Academy – avait fait de ce voyage un cauchemar, et les craintes d'Elias à propos de sa rentrée à Waverly avaient redoublé. Lorsqu'il fut de retour à l'école, Callie s'était montrée encore plus possessive et autoritaire que d'habitude et tout à coup, comme surgie de nulle part, cette nouvelle fille très cool était apparue à l'horizon – l'échappatoire idéale.

Était-ce ce qui s'était produit ? S'était-il servi de Jenny pour fuir sa relation avec Callie parce que celle-ci essayait de le pousser dans ses retranchements ? Parce qu'il ne se sentait pas prêt à dire « Je t'aime » ? Pour la millionième fois, il se remémora ce dîner en compagnie de Callie et de son père, et le moment où elle avait pris sa défense. Des souvenirs envahirent soudain son esprit – Callie, avec ses chaussures nullement adaptées, qui venait le rejoindre aux écuries pour une heure de tête-à-tête avant le dîner, Callie qui lui avait offert une première édition du *Festin nu* de William S. Burroughs pour la St Valentin parce qu'elle s'était souvenue qu'il voulait le lire, Callie dont les yeux noisette lui rappelaient les jours d'été pleins de paresse de son enfance, et lui faisaient regretter de ne pas l'avoir connue toute sa vie.

— C'est le cas classique d'une relation encore sous le coup de la déception de la précédente, poursuivit Brandon en tirant trois fois sur son cigare, avant d'essayer de produire des ronds de fumée comme les durs dans les films. Ça me fait mal de l'admettre, mais il y avait quelque chose entre Callie et toi qui semblait disons... couler de source.

Et Brandon souffrit de l'avouer, mais c'était vrai. Elias et Callie paraissaient si différents l'un de l'autre, et pourtant en harmonie totale – sûrement parce que les contraires s'attirent et tout ça. Ça n'avait pas grand sens, mais en amour, rien n'en a franchement.

— Ouais, lâcha Elias en hochant doucement la tête.

— Vas-y mollo avec Jenny, tu veux ? lui lança Brandon, un peu étourdi par le tabac.

Pauvre Jenny ! Brandon devinait, rien qu'en regardant Elias, que ses pensées allaient déjà vers Callie, et que Jenny n'avait pas la moindre chance. Brandon ressentit une pointe d'amertume, mais tout à coup il se souvint de ce qui l'avait amené ici au départ. Elizabeth. Callie ne comptait plus, Jenny non plus. Seule Elizabeth avait de l'importance.

— Bien sûr.

Elias secoua brusquement la tête, comme s'il était perdu dans ses rêveries. Ses yeux bleus s'étaient éclaircis. Un grondement de tonnerre résonna, il tourna les yeux vers le ciel, comme si celui-ci allait s'ouvrir au-dessus d'eux dans l'instant.

— Alors, euh... Et toi, avec cette fille de St Lucius ? demanda-t-il, la tête toujours levée vers les nuages.

— Elizabeth.

Brandon inspira profondément, laissa la fumée du cigare emplir ses poumons. Il n'était pas peu fier qu'Elias l'ait remarquée – évidemment, tout le monde l'avait repérée avec son tee-shirt TIBET LIBRE et son long cou gracile.

— Ouais, elle est géniale.

Elias acquiesça.

— Elle a l'air cool.

Entendant un animal courir dans les herbes, il jeta un coup d'œil par-dessus son épaule, puis remit le cigare à ses lèvres.

— Elle l'est.

Brandon sentait sa poitrine se gonfler de fierté, mais il fit en sorte de ne pas le montrer.

— On a, euh, passé un bon moment... tous les deux.

Il avait beau apprécier son cigare, il n'avait pas vraiment envie de se confier à Elias, du moins pas concernant ses affaires sentimentales.

— J'allais justement l'appeler.

— L'appeler ? répéta Elias, avec un léger accent de scepticisme dans la voix.

Brandon se braqua.

— Pourquoi ? Je ne devrais pas ? demanda-t-il avant de s'en vouloir à mort de demander des conseils à Elias en matière d'amour.

— Nan, ce n'est pas ce que je voulais dire, répondit Elias en se penchant vers l'avant, les coudes sur les cuisses. Évidemment, qu'il faut que tu l'appelles. Ou bien écris-lui un poème, fais-lui un petit dessin, un truc qui montre que tu as pensé à elle. Sois spontané.

Brandon haussa les épaules.

— Euh, ouais, enfin, je vais faire un truc, c'est sûr.

Il opina, l'air plus confiant qu'il ne se sentait en réalité. Il était tout sauf spontané, de nature. Le genre de type à étudier le programme des cours pendant les vacances d'été, et à entourer les options qui l'intéressaient.

Elias ramassa une feuille par terre et la froissa. Il s'éclaircit la gorge.

— Hé, je me doute que ça ne doit pas être facile pour toi de me parler. Je sais que tu as toujours envie de me tuer, mais comment dire… Je suis désolé pour… tout ça.

Brandon éteignit son cigare sur une pierre et fit un signe de la main.

— T'en fais pas.

Ils n'allaient sûrement pas se taper dans le dos autour d'une bière de sitôt, mais disons qu'Elias n'était peut-être pas un salaud.

— Faut que j'y aille. Merci pour le cigare.

— Pas de problème. Merci, euh, d'être resté pour discuter, répondit Elias.

— Bonne chance, lui lança Brandon avec sincérité.

Il glissa le cigare à demi fumé dans la poche de son sac de squash. Il fit demi-tour et emprunta le chemin du retour à l'instant même où les premières gouttes de pluie venaient chatouiller ses nouveaux bras super puissants. Il pouvait peut-être filer en douce à St Lucius pour faire une surprise à Elizabeth. Il fallait que ce soit mieux qu'un simple poème. Non ?

7

UN HIBOU DE WAVERLY UN PEU COQUIN SAIT QU'UN BAISER N'EST QU'UN BAISER.

— Ouah, apparemment, on a fait un carton, commenta Beth au moment où elle franchissait la porte à tambour de l'atrium, Kara et Jenny sur les talons.

La pluie faisait un bruit apaisant en tombant sur le toit en verre au-dessus de leurs têtes.

L'atrium Reynolds était un espace à deux étages doté d'une verrière à voûte en berceau conçu par I.M. Pei, bâti en annexe au Hall Maxwell pour quelques millions de dollars plusieurs années auparavant, grâce au soutien généreux du père de Ryan Reynolds, le milliardaire ayant fait fortune dans les lentilles de contact. L'endroit était envahi de fougères et de ficus luxuriants, qui lui conféraient une atmosphère tropicale même au milieu de l'hiver. Lorsqu'il était éclairé, l'atrium était visible de tout le campus, comme une véritable ampoule électrique géante. En vérité, il s'agissait surtout d'un endroit où les élèves emmenaient leurs parents prendre un café et un *scone* lors des week-ends portes ouvertes, et où avaient lieu les lectures du magazine littéraire de Waverly, *Absinthe*, devant un public généralement clairsemé. Aussi Beth fut-elle ébahie de voir les dizaines de filles qui s'entassaient sur les confortables canapés rouges, certaines étant même installées par terre, en tailleur sur la moquette à motif cachemire vert et or.

Elle éprouva un léger haut-le-cœur, comme avant chaque réunion ou débat du conseil de discipline – le même genre de malaise qu'elle ressentait durant les secondes précédant un saut de l'ange dans la gigantesque piscine de ses parents. Une fois qu'elle touchait l'eau, pour ainsi dire, tout allait bien. Mais le plongeon en soi la rendait nerveuse. Beth essuya ses mains moites sur son jean slim noir de la marque Joe.

Les bavardages cessèrent à l'instant où les trois filles se frayèrent un chemin vers les fauteuils vides situés à l'avant de la salle, qui leur avaient très gentiment été réservés. Beth balaya l'assistance du regard – presque toutes les filles de Dumbarton étaient présentes, excepté Tinsley Carmichael, « accidentellement » omise de la liste d'envoi.

Beth et Kara s'enfoncèrent dans leur siège tandis que Jenny prenait place sur le sol aux côtés d'Alison Quentin et de… Callie ? Il fallait croire qu'elles étaient redevenues amies. Plutôt bizarre, étant donné le fossé qui les séparait – et à l'inverse leur unique point commun. Mais tant mieux pour elles, c'était tout à fait dans l'esprit de solidarité féminine qu'elles allaient tenter de raviver toutes ensemble ce soir. Le *Girl power.*

— Merci à toutes d'être venues, lança Beth en essayant d'éviter un ton autoritaire ou chiant.

Elle était simplement vêtue d'un legging noir et d'une longue tunique C & C California bleu marine, mais les filles l'écoutaient toutes avec tant d'avidité qu'elle avait l'impression de porter son uniforme officiel du conseil de discipline.

— Comme il s'agit de la première réunion des Femmes de Waverly, je n'ai pas envie que ce soit trop formel – je crois qu'on devrait profiter de cette occasion pour discuter, évoquer les problèmes que nous rencontrons, partager nos idées quant à ce que devrait devenir ce club.

Elle haussa les épaules et jeta un coup d'œil au groupe ; les filles semblaient d'accord.

Benny Cunningham ouvrit la bouche pour dire quelque chose, mais un grincement de porte l'interrompit. Tout à coup, Heath Ferro apparut, vêtu d'un blazer bien repassé aux couleurs de Waverly, ses cheveux normalement hirsutes peignés et domptés par une couche de gel. Il agitait un livre au-dessus de sa tête. N'importe qui aurait vu en lui l'image parfaite de l'élève d'école privée propret et désireux d'apprendre.

— Ne commencez pas sans moi ! lança-t-il en se frayant un passage parmi la foule de filles pour se rendre à l'avant.

Plusieurs gloussèrent, mais Beth fulminait. Que fichait-il ici ? Lorsqu'il se trouva assez près d'elle, il lui montra le livre qu'il avait à la main : un exemplaire du règlement de Waverly.

— Tu permets ? demanda-t-il en affichant un petit sourire suffisant sur son beau visage.

Il ouvrit son manuel et, visiblement ravi d'être au centre de l'attention, se tourna vers l'assistance.

— Aucun club de Waverly ne peut exclure des membres en raison de son sexe ou de son orientation sexuelle, lut-il avant de refermer d'un coup sec le règlement. Autrement dit, je suis admis.

— J'ignorais que Waverly proposait des cours de droit, railla Beth.

Heath semblait avoir un don pour se pointer exactement aux endroits on ne l'avait pas convié.

— Tu tiens à aller jusqu'au tribunal ? rétorqua-t-il en brandissant le livre au-dessus de lui comme une torche.

— Laisse tomber, Heath. Ça va, lâcha Beth en levant les yeux au ciel, sous le rire des filles. Tu ne pourrais pas faire un effort pour te la jouer un peu moins mec ?

— Et tu peux t'asseoir aussi ? demanda Kara. On allait commencer.

— Pas de problème, mesdemoiselles, promit-il avant de fouiller dans les poches de son treillis Abercrombie. Mais vous ne voulez pas faire une photo de groupe, d'abord ?

Il tint son minuscule appareil numérique devant lui et fit une photo de la pièce. Il se tourna brièvement vers Beth, qui le fusillait du regard.

— Désolé ! fit-il semblant de murmurer, puis il se glissa sur le canapé à côté de Kara.

Beth prit une grande inspiration et essaya d'oublier l'intrus de sexe masculin.

— Bref. À l'avenir, nous pourrons parler de tout, mais j'ai pensé qu'on pourrait commencer ce soir avec un sujet destiné à briser la glace, disons.

Elle marqua un temps d'arrêt, se cala dans son fauteuil, sentant le regard de Heath sur sa poitrine. Quel pervers. Et si elle essayait de le mettre mal à l'aise pour le faire déguerpir ?

— Alors, si on parlait sexe ?

Un petit rire nerveux parcourut l'assistance, et toutes se regardèrent en rougissant. Beth voyait bien qu'il faudrait les stimuler un peu pour lancer le débat.

— Quelle est votre scène d'amour préférée au cinéma ?

— *Sex Crimes*, répondit immédiatement Heath, la main sur le cœur pour gager de son sérieux. C'est une scène d'un magnifique réalisme cinématographique, ajouta-t-il en se passant la langue sur les lèvres.

Beth roula des yeux furibonds.

— Et si on faisait le tour de la salle ?

Elle désigna Jenny, assise à l'opposé de Heath et elle.

— Hmm, réfléchit-elle tout haut, le menton sur la main. *Dirty Dancing*.

Elle haussa les épaules et parcourut la salle des yeux en piquant un fard.

— C'est clair, commenta Alison.

— Quoi ? Ce truc de tapettes ! Euh pardon...

Beth lança à Heath un regard qui le calma.

— Si tu ne suis pas les règles du club, tu seras exclu. *Capice* ?

Il lui adressa un salut militaire.

— Reçu cinq sur cinq, capitaine.

— Suivante ? relança-t-elle en se tournant vers Callie.

— Moi je choisirais *Mr et Mrs Smith*, Brad Pitt et Angelina Jolie, sans hésiter.

Callie ponctua cette phrase d'un hochement de tête et passa la parole à Kara.

— *Bound*, dit celle-ci. Et de loin.

— Ah, enfin du sérieux ! s'écria Heath en donnant un coup de poing sur le tapis doré devant lui, l'exaltation illuminant son visage.

Il leva la main en direction de Kara pour qu'elle tape dedans, mais elle se détourna en grimaçant.

Pendant une heure, les filles parlèrent sexe en riant, tandis que Heath faisait de son mieux pour se montrer respectueux, au point que toutes paraissaient avoir oublié sa présence. Beth apprit un tas de choses qu'elle n'aurait jamais soupçonnées à propos de ses camarades : Sybille Francis attendait le mariage pour perdre sa virginité, Yvonne Stidder simplement d'entrer à l'université, Rifat Jones l'avait perdue, mais le regrettait. Celine Colista voulut savoir si la fellation était considérée comme un acte sexuel (le vote ne parvint pas à trancher) et Callie si faire l'amour faisait aussi mal qu'on le disait. Les filles qui étaient déjà passées par là répondirent tristement que oui, du moins la première fois. Beth fut un peu étonnée de voir à quel point tout le monde se montrait loquace à propos d'un sujet aussi personnel. Mais les filles se sentaient tellement à l'aise dans cet environnement solidaire, que n'importe qui aurait pu dire n'importe quoi sans que ça pose de problème. Beth se sourit à elle-même. Quelle judicieuse idée de ne pas avoir convié à ce club cette garce de Tinsley aux jugements si péremptoires.

La conversation commençait à s'essouffler, certaines se levèrent pour remplir leur tasse de cidre, grignoter un cookie au pain d'épice. Tout à coup, Benny prit la parole :

— Moi, ce que je voudrais savoir, c'est pourquoi les mecs partent toujours du principe que si vous les avez embrassés, ça veut dire que vous êtes d'accord pour coucher avec eux ?

Elle s'était visiblement déjà retrouvée dans cette situation.

Toutes se tournèrent vers Heath, comme si elles venaient de se rappeler sa présence.

— On espère toujours, répondit-il en s'excusant d'un haussement d'épaules. Vous ne pouvez pas nous en vouloir de tenter notre chance.

— Eh bien, ce n'est pas très juste, répliqua Trisha Reikken du bout d'un des canapés.

C'était une terminale aux formes avantageuses qui avait la réputation d'aller au-delà des simples baisers.

— Pourquoi les mecs ne peuvent-ils pas accepter le fait que parfois, un baiser est juste un baiser et qu'ils n'obtiendront rien de plus ?

Elle croisa les bras sur son imposante poitrine et jeta un regard noir à Heath.

— Je vois ce que tu veux dire, enchaîna Sybille Francis en hochant vigoureusement la tête. Les mecs sont déconcentrés par l'étape suivante. J'ai l'impression qu'ils oublient à quel point c'est agréable d'embrasser.

— Certains mecs, souligna Heath en se penchant vers l'avant. Moi ? J'adore embrasser. Je trouve ça formidable…

Il leva les paumes dans un geste de parfaite innocence et tout le monde éclata de rire.

— … Mais bon, la suite aussi.

— C'est justement ce qu'elle veut dire, idiot, l'interpella Kara en lui enfonçant son index dans l'épaule. Parfois il n'y a pas de suite. Parfois on embrasse un point c'est tout.

Heath avait la tête du gars à qui l'on viendrait d'apprendre que le Père Noël n'existait pas.

— Pas de suite ? dit-il, blême. Mais l'étape suivante, c'est la raison pour laquelle les baisers ont été *inventés* !

À ces mots, une vague d'indignation parcourut l'assistance.

Beth leva une main pour ramener le silence.

— Je suis désolée, Heath, mais je vais devoir exprimer mon désaccord. Certaines personnes – celles capables d'un minimum de maîtrise de soi – savent apprécier un baiser pour ce qu'il est et s'arrêter là.

— Compris ? dit Alison en hochant la tête avec exagération, ses cheveux noirs et soyeux brillant sous les lumières de l'atrium.

Jenny se pencha pour lui taper dans la main.

— Je ne suis toujours pas convaincu, dit Heath. Vous êtes en train de me dire que vous pouvez embrasser quelqu'un sans vouloir plus ?

— Moi je peux, dit Beth.

Elle jeta un coup d'œil à Kara, qui la regardait, et un coup de tonnerre retentit.

— Je pourrais embrasser Kara et apprécier ce baiser pour ce qu'il est, un simple baiser.

Elle regarda son amie en haussant les épaules. Voilà qui clouerait peut-être le bec de Heath. Beth écarta les cheveux de son visage et ses lèvres rencontrèrent celles de Kara dans un petit bisou rapide. C'était doux, furtif, amical.

— Tu vois ? dit Kara avec un sourire ironique, un sourcil arqué, en regardant Heath. Un point c'est tout.

Beth sourit et s'adossa à son fauteuil, prise d'un léger vertige. Elle se sentait très bien, et... elle avait très chaud. Le baiser s'était passé si vite qu'elle n'était sûre de rien, mais à l'instant où sa bouche était entrée en contact avec celle de Kara et où elle avait senti ce parfum de gloss à la fraise, elle avait peut-être bien... ressenti quelque chose... Oh là, c'était bizarre.

Beth attrapa sa tasse de chocolat chaud et essaya de reprendre le fil de la réunion. Elle jeta un coup d'œil vers Heath et remarqua qu'il la fixait délibérément avec un sourire étrange. Elle lui tira la langue et se concentra de nouveau sur le groupe. Les conversations s'étaient multipliées, mais elle se rendit compte que la plupart faisaient seulement semblant de discuter tout en gardant un œil sur Callie et Jenny, maintenant face à face.

Callie mordillait ses lèvres rosées et regardait le visage insupportablement adorable de sa colocataire. Jenny était assise en tailleur sur le sol, vêtue d'un pantalon de yoga gris anthracite et d'un épais sweat-shirt beige dans lequel, mignonne comme tout, elle disparaissait presque. Malgré leur compétition acharnée pour Elias, Callie ne pouvait s'empêcher d'avoir envie de serrer Jenny dans ses bras sur-le-champ. Surtout après tous ces témoignages réconfortants de solidarité féminine. Elle se sentait un peu stupide, mais cela lui avait vraiment fait chaud au cœur.

— Tu es une fille formidable, tu es ma colocataire et j'aimerais qu'on soit amies, voilà, finit par dire Callie avec sincérité.

Elias était un homme de Néandertal. D'accord, c'était peut-être son homme de Néandertal à elle, mais Jenny était sa colocataire. Et peut-être même son amie.

— Et si... on renonçait toutes les deux à lui ? Au nom de notre amitié ? demanda Jenny pleine d'espoir, le visage toujours aussi angélique.

Le front de Callie se décrispa et un large sourire de soulagement apparut sur ses lèvres. C'était comme s'il venait de se produire un déclic dans sa tête. C'était si simple : il suffisait de l'oublier et de rester amie avec sa colocataire. Elle observa de nouveau le visage plein d'espoir de Jenny, avec ses grands yeux et ses joues roses. Qu'avait-il fait pour elle, de toute façon ?

— Ça me semble être une bonne idée.

Jenny la serra dans ses bras et Callie lui tapota le dos. Toutes les filles cessèrent de feindre d'être accaparées par autre chose et se mirent à applaudir.

— À vous deux maintenant ! Embrassez-vous ! hurla soudain Heath en frappant la moquette des deux poings.

Une fois de plus, tout le monde avait fini par oublier sa présence.

— Embrassez-vous ! Allez ! Vous en avez envie, ne dites pas le contraire...

Beth ramassa un lourd coussin de brocart et le lui lança sur la poitrine. La réunion était bel et bien terminée.

8

QUOI QU'IL ARRIVE, UN HIBOU DE WAVERLY TIENT TOUJOURS SES PROMESSES.

Après les deux heures de sieste qui avaient suivi son entraînement de tennis, et lui avaient fait manquer le dîner, Tinsley passa la tête par l'embrasure de la porte de sa chambre. Il faisait déjà nuit et le rez-de-chaussée était étrangement désert. Un silence, lugubre, lui donnait l'impression qu'une alerte à la bombe avait retenti pendant son sommeil et qu'elle était la seule à ne pas s'être réfugiée dans l'abri antiatomique. Une excellente occasion de faire venir Julian. Rien qu'à l'imaginer à l'autre bout du campus, assis à sa fenêtre de la résidence Wolcott en train de guetter l'apparition d'une petite flamme, elle en avait des frissons partout.

La fenêtre de sa chambre ne donnait pas du bon côté, aussi Tinsley se dirigea-t-elle vers la salle de bains, où elle ouvrit une des lourdes fenêtres en verre opaque. Elle alluma le Zippo de Julian et observa la flamme qui brillait dans l'air nocturne, une, deux, trois fois. Elle parcourut les initiales gravées sur le briquet.

Moins de trois minutes s'étaient écoulées – à peine le temps pour Tinsley d'ôter à la pince à épiler quelques poils de sourcils récalcitrants – lorsqu'elle vit une silhouette toute vêtue de noir quitter l'allée pour rejoindre Dumbarton par les extérieurs. Julian se plaqua contre le mur de brique, qu'il suivit lentement en tournant la tête alternativement de gauche à droite pour avoir un aperçu général de la situation.

— Hé, lança-t-il.

— Chut ! murmura Tinsley en passant la tête par la fenêtre.

Julian attrapa sa main et enjamba le rebord de fenêtre. Il retomba maladroitement sur ses pieds.

— Tiens, j'ai l'impression de connaître cet endroit, dit-il.

Ses yeux parcoururent la salle de bains – il n'avait sûrement pas oublié qu'ils avaient échangé ici même leur premier baiser.

— Il me semble être déjà venu ici en rêve, poursuivit-il sur le ton de la plaisanterie.

— Peut-être bien.

Tinsley était appuyée contre un lavabo. Elle remarqua que Julian portait un collier en coquillage, le genre de cadeau que pourrait faire une petite amie en vacances à Nantucket ou sur Fire Island. Tinsley plissa les yeux. Évidemment, elle préférait que Julian ait connu d'autres filles avant elle – elle ne voulait pas être obligée de tout lui apprendre – mais de là à accepter de le voir porter des vestiges de ses relations précédentes…

— Nan, ça ne pouvait pas être un rêve…

Il jeta un coup d'œil vers Tinsley, qui ne put résister à l'appel de ses yeux noirs. Elle aurait préféré qu'il fasse le premier pas, mais elle ne pu réprimer ses ardeurs.

— … Parce qu'après un rêve, on se réveille toujours, conclut-il.

Tinsley s'écarta du lavabo, et vint poser ses pieds nus sur le carrelage froid de la douche. Elle referma le rideau derrière elle et fit courir une main sur le torse de Julian. Elle le poussa contre le mur de la cabine de douche et l'embrassa comme si elle ne l'avait pas vu depuis des mois, alors qu'en réalité trois petites heures seulement s'étaient écoulées depuis qu'ils s'étaient quittés.

— Je t'ai manqué ? le taquina-t-elle entre deux baisers.

Il agrippait ses hanches, ses doigts trituraient le bas de son tee-shirt rouge American Apparel, attendant l'autorisation de s'aventurer en dessous.

Julian laissa échapper un petit gémissement au contact de la peau nue de Tinsley. Un léger frisson la parcourut lorsque ses doigts se faufilèrent tout doucement le long de ses côtes. À l'instant où elle allait les écarter d'une petite claque (il ne pouvait évidemment pas se risquer dans cette direction sans demander la permission), la porte de la salle de bains s'ouvrit bruyamment. Ils décollèrent leurs lèvres et écarquillèrent les yeux, mais Julian conserva ses mains sur le corps de Tinsley.

Celle-ci pressa un doigt sur la bouche de Julian, le cœur battant à tout rompre. Tous deux retenaient leur respiration ; l'intruse se mit à chantonner :

— *Da de da de da dum... Da de da de da dum...*

Des points d'interrogation apparurent dans les magnifiques yeux de Julian, tandis que Tinsley essayait de découvrir à qui appartenait cette voix. S'il s'agissait d'une fille facilement influençable, une troisième ou une nana timide par exemple, pas de problème – Tinsley n'aurait qu'à réclamer l'aide de la fille pour introduire Julian dans sa chambre, où ils pourraient poursuivre leur interlude romantique. Ils tentèrent de ne pas pouffer en l'entendant faire pipi. À l'instant où Tinsley allait passer la tête hors de la douche, la voix se mit à chanter :

— *Don't stand so, don't stand so close to me...*

Sous le coup de la surprise, Tinsley laissa échapper un grand *Merde.* Évidemment, la fan du groupe Police, c'était Pardee. Ce matin-là, Tinsley avait entendu (et tout le rez-de-chaussée avec elle) la surveillante du dortoir, Angelica Pardee exiger de son mari qu'il répare la douche ou qu'il trouve « un homme, un vrai » qui s'en charge. Apparemment, il avait échoué. Tinsley appuya plus fort sur les lèvres de Julian au bruit des tongs sur le parquet. Comment allait-elle pouvoir s'en sortir si jamais Pardee ouvrait le rideau et découvrait Tinsley dans la cabine de douche en compagnie d'un garçon ?

Ils l'entendirent tirer le rideau de la cabine adjacente, puis faire couler l'eau. La vache. Ils avaient eu chaud.

— Allez, articula-t-elle en lui désignant la sortie. Il faut qu'on se tire d'ici.

Julian feignit de ne pas comprendre et lui murmura :

— Quoi ? Tu as encore envie de m'embrasser ?

Il se pencha vers elle.

— Plus tard ! s'exclama-t-elle tout haut sans le vouloir, par chance au moment même où Pardee entonnait à nouveau sa chanson.

— *Her friends are so jealous, you know how bad girls are…*

Tinsley roula des yeux, ouvrit très très lentement le rideau de leur cabine et se faufila au-dehors, entraînant Julian avec elle. Elle lui fit signe de passer par la fenêtre, mais à l'instant où il allait la franchir, un groupe de filles apparut dans l'allée ; elles se dirigeaient vers l'entrée principale de la résidence. Merde. Hors de question qu'elles aperçoivent Julian passer par la fenêtre de la salle de bains – en moins de cinq secondes, tout le campus saurait qu'elle fréquentait un troisième !

— Pas par là, lui ordonna-t-elle d'un ton pressant.

Elle l'éloigna de la fenêtre, manquant de le faire tomber, puis le traîna jusqu'à la porte, sur la pointe des pieds. Il essaya une nouvelle fois de l'embrasser, mais Tinsley le fit reculer d'une petite tape, un peu plus violente que ce qu'elle comptait lui donner.

— Tu vas passer par ma chambre, lui dit-elle à voix basse.

Ils n'étaient même pas au milieu du couloir et la porte d'entrée s'ouvrit. Elle poussa rapidement Julian dans le placard à balais, malgré ses protestations.

— Qu'est-ce que tu fiches ? lâcha-t-il d'une voix étouffée derrière la porte à l'instant où un groupe de filles gloussantes passait l'angle.

— Je viens te chercher dans une minute, quand la voie sera libre, lui marmonna-t-elle.

Elle effaça très vite son expression agacée et emprunta le couloir en direction de sa chambre, en essayant de paraître aussi naturelle que possible.

— Tinsley ! s'écria Sybille Francis au moment où elle arrivait devant sa porte. Où étais-tu passée ?

Tinsley la regarda avant de se retourner vers les autres filles qui l'entouraient, sans comprendre.

— De quoi parles-tu ? demanda-t-elle avec une indifférence glaciale, la main sur la poignée.

— Tu as raté la réunion des Femmes de Waverly !

Sybille agitait sa chevelure blonde comme les blés en mâchant un chewing-gum trop gros pour sa bouche. Elle avait lu récemment sur Internet qu'une heure de mâchage de chewing-gum brûlait une centaine de calories et elle en avait aussitôt pris l'habitude, mourant d'envie de se débarrasser des deux kilos et demi qui lui empoisonnaient la vie. Mais Tinsley pensait que l'odeur entêtante du menthol finirait par faire plus de mal que de bien à sa vie amoureuse.

— La quoi ?

Tinsley ne voyait absolument pas à quoi elle faisait allusion, et s'en fichait pas mal. Tant que personne ne savait ce qu'*elle* avait fait cette dernière demi-heure.

Sybille ouvrit grand la bouche.

— Tu n'as pas reçu l'e-mail de Beth ?

Ses sourcils froncés étaient censés suggérer l'inquiétude, mais elle était visiblement enchantée de savoir quelque chose que Tinsley ignorait.

— Les... euh, Femmes de Waverly ?

Tinsley avait pris un ton aussi dédaigneux que possible. Les *Femmes de Waverly* ? Le seul nom était chiant.

— Eh bien, tu as manqué quelque chose ! s'exclama Sybille, dont la voix pétillait d'excitation.

Tinsley ne put s'empêcher de ressentir une pointe de jalousie à l'idée que tout le monde avait participé à un événement et pas elle. Sybille remit quelque chose en place sous son gros col roulé bleu marine.

— Excuse-moi, l'armature n'arrête pas de me rentrer dans la peau.

Tinsley eut pour seule réaction de hausser un de ses sourcils foncés, soigneusement épilés ; elle essayait de ne pas laisser paraître son agacement. Elle tripota sa poignée, une partie d'elle avait envie de claquer la porte au nez de cette peste de Sybille et de la planter là à remettre son soutif, mais l'autre avait envie d'en savoir plus sur cette fameuse réunion. Jamais elle ne s'abaisserait à poser une seule question sur le foutu club de Beth, mais ça ne voulait pas dire qu'elle n'avait pas envie de *savoir*.

Sybille perçut soudain l'expression énervée de Tinsley.

— Pardon, s'empressa-t-elle de dire. Il faut que j'aille me changer. Mais viens avec moi – je te raconterai.

— Bon, d'accord.

Tinsley emboîta le pas à Sybille, dont les bottes en caoutchouc à carreaux Burberry magenta et vert laissaient dans les escaliers une piste de feuilles jaunes et orange. Tinsley faisait tant d'efforts pour dissimuler sa jalousie qu'elle en avait complètement oublié son rencard du soir – mais aussi Julian dans son placard à balais tout noir, qui se demandait pourquoi elle mettait autant de temps à venir le chercher.

HibouNet

Messages instantanés
Boîte de réception

EliasWalsh :	Qu'est-ce que tu fais ? Il faut que je te parle.
CallieVernon :	De quoi ?
EliasWalsh :	En personne. Tu peux venir me retrouver ? Tu me rejoins aux écuries ce soir ?
CallieVernon :	Ce soir ? Je suis occupée.
EliasWalsh :	S'il te plaît ? C'est important.
CallieVernon :	Si tu as tellement envie de me parler, tu attendras jusqu'à demain. En plein jour.
EliasWalsh :	D'accord. Avant le TP de bio ?
CallieVernon :	Si tu veux. J'ai aussi des trucs à te dire.
EliasWalsh :	OK. Tu me manques. Bonne nuit.

CallieVernon s'est déconnectée.

HibouNet

Messages instantanés
Boîte de réception

JulianMcCafferty :	Eh, quand tu es rentré le week-end dernier, t'as refermé les tunnels derrière toi ?
HeathFerro :	Comment ça ? La porte de la salle de sport ?
JulianMcCafferty :	Dumbarton.
HeathFerro :	Pas de bol – j'ai fermé à clé. Pour éviter les intrus.
JulianMcCafferty :	Tu connais un autre moyen de sortir ?
HeathFerro :	Qu'est-ce que tu fous là-bas ? T'avais un plan cul avec Tinsley ?
JulianMcCafferty :	T'es con.
HeathFerro :	Écoute, vieux, si t'as trouvé le moyen d'entrer dans sa culotte, tu trouveras bien un moyen de sortir du dortoir.

9

UN HIBOU DE WAVERLY N'ENTRE PAS EN DOUCE DANS UN DORTOIR DU SEXE OPPOSÉ – À MOINS D'AVOIR UN MOYEN D'EN SORTIR.

Jenny approcha tout doucement de Callie en faisant très attention de ne pas renverser les tasses de cidre chaud qu'elle avait à la main. Sa colocataire, perchée sur le bord d'un des canapés rouges, tenait son portable à la main et s'excitait à rédiger un texto. Après la dispersion officielle des Femmes de Waverly, dix minutes plus tôt, Beth et Kara avaient été prises d'assaut par des essaims de filles ravies, qui tenaient à les remercier d'avoir organisé tout ça ; Jenny et Callie s'étaient donc retrouvées toutes les deux. En voyant Jenny arriver avec les tasses, Callie rangea son téléphone dans la poche de son imperméable bleu marine Ralph Lauren.

— Merci, répondit-elle en acceptant avec surprise la tasse que lui tendait Jenny.

Elle avait les joues toutes rouges et Jenny ne put s'empêcher de se demander si c'était dû à la température étouffante qui régnait dans l'atrium ou à ce qu'elle était en train de raconter par SMS.

— On rentre ? proposa Jenny en posant son cidre.

Elle venait de se rendre compte qu'elle avait trop chaud pour le boire. Bien qu'elle ait déjà enlevé son gros pull et ne portât plus qu'un petit tee-shirt noir Club Monaco, elle sentait son soutien-gorge trempé de sueur. Crade.

— Oui, répondit Callie, l'air soulagée. Allons-y.

Toutes deux s'enfoncèrent dans la froide obscurité de la nuit. Jenny s'arrêta un instant pour laisser l'air rafraîchir sa peau avant d'enfiler son pull. Devant elles, un troupeau de filles regagnait également leur dortoir. Callie et Jenny traînèrent un peu, dans le seul bruit des feuilles mortes craquant sous leurs chaussures. Elles ne parlaient pas, mais pour la première fois, Jenny sentit que le silence qui régnait entre elles n'avait rien de gêné.

D'une certaine façon, c'était triste que tout soit officiellement terminé avec Elias, qu'elle ait fait un pacte avec Callie et que désormais, même s'il revenait lui annoncer qu'il l'aimait, elle soit forcée de le rejeter. Mais lorsqu'elle avait regardé Callie droit dans les yeux en lui promettant à la face du monde que leur amitié compterait toujours plus qu'Elias (ou n'importe quel autre type, d'ailleurs) Jenny s'était rendu compte à quel point la culpabilité la rongeait depuis le début. Si elle avait été une personne différente, comme Tinsley, par exemple, elle aurait peut-être pu sortir avec Elias sans se sentir le moins du monde coupable. Mais elle ne voulait plus jouer à être quelqu'un d'autre. Elle était Jenny Humphrey, qu'on l'aime ou non, et Jenny Humphrey ne volait pas les petits amis des autres.

— Tiens, je vais laisser un petit mot à Beth, dit Jenny lorsqu'elles arrivèrent dans le hall de Dumbarton.

Le sol était couvert de feuilles et de dizaines d'empreintes de pas boueuses. Pardee allait péter un plomb en constatant les dégâts le lendemain.

— D'accord, fit Callie en lui lançant un sourire par-dessus son épaule, tandis qu'elle empruntait l'escalier.

Jenny l'observa une seconde. Bien qu'elle ait resserré la cordelette de son pantalon de flanelle gris L.A.M.B. autant qu'il fût humainement possible, il bâillait aux hanches, révélant une minuscule marque de naissance en forme de fraise près de sa colonne vertébrale saillante. Jenny regretta de ne pouvoir lui faire avaler de force quelques cookies, mais même ceux au pain d'épice, tout chauds, délicieux, ne l'avaient pas tentée lors de la réunion de ce soir.

— À toute ! la salua-t-elle avant de disparaître.

Jenny lui sourit, toujours dans l'ambiance chaleureuse et irréelle de la réunion, et se dirigea vers la chambre de Beth. En passant devant le placard à balais du couloir, elle s'arrêta. Elle avait entendu comme un bip. Le bruit était léger, mais il provenait sans le moindre doute du local. Curieuse, Jenny entrouvrit la porte.

— Oh mon Dieu !

Elle recula d'un bond. Il y avait quelqu'un à l'intérieur ! Un garçon ! Elle aurait crié si elle n'avait pas très vite reconnu Julian, ce grand troisième qui traînait toujours avec les mecs plus âgés. Il avait un portable noir dans la main droite, le pouce prêt à se lancer dans la rédaction d'un SMS.

— Chut ! lança-t-il, l'air presque aussi interloqué qu'elle.

— Mais qu'est-ce que tu fiches ici ? murmura à son tour Jenny en jetant un coup d'œil dans le couloir.

Elle ne voyait personne, mais entendait Benny Cunningham et d'autres dans le salon, qui regardaient une rediffusion de *Grey's Anatomy*.

— J'étais, euh…

Les pupilles de Julian étaient dilatées d'être restées trop longtemps dans l'obscurité, ce qui poussa Jenny à se demander depuis combien de temps il était dans le placard. Et comment il s'était retrouvé là pour commencer.

—... Je cherchais un truc que j'ai perdu ce week-end.

Jenny eut un sourire sceptique.

— Quoi, tes produits d'entretien ?

Elle posa la tête contre la porte, soudain très consciente de la présence d'un garçon à Dumbarton.

Julian tripota l'ourlet usé de son tee-shirt Pearl Jam étriqué. Une chemise gris anthracite était négligemment nouée autour de sa taille.

— Oh, tu sais, il ne faut oublier aucun recoin.

— Bien sûr.

Jenny haussa les sourcils et continua le petit jeu, en regrettant de ne pas porter quelque chose de plus sexy qu'un gros pull en laine Diesel.

— Alors, heu, qu'est-ce que tu cherches exactement ?

Les yeux bruns de Julian brillèrent dans l'obscurité, comme si sa question le surprenait. Jenny ne put s'empêcher de pouffer. C'était plutôt marrant de le voir se débattre. Il jeta un coup d'œil au-dessus de l'épaule de Jenny.

— Mon... euh... briquet.

Jenny hocha la tête avec compréhension et tapota des ongles sur la poignée en cuivre.

— J'ouvrirai l'œil. À quoi il ressemble ?

— C'est un Zippo. En argent, avec mes initiales – JPM – gravées dessus.

Il s'arrêta, lui fit un sourire, qui révéla une minuscule fossette sous ses lèvres légèrement gercées.

— Tu l'as vu quelque part ? demanda-t-il.

— Désolée.

Jenny ricana et secoua la tête, consciente que ses cheveux devaient être vraiment très frisés maintenant.

— Et le P, dans JPM, c'est quoi ? ajouta-t-elle.

Julian enleva sa chemise nouée à la taille et l'enfila, sans la boutonner. Il se cogna la tête contre l'étagère vide en haut du placard – il était grand.

— Padgett.

— Padgett, répéta-t-elle en hochant la tête d'un air pensif.

Ça devait être un de ces noms de famille prestigieux.

— Cool.

— Écoute, ne le prends pas mal, dit Julian en se grattant la tête. J'aimerais bien discuter avec toi, mais, hum, je ne suis pas super partant pour me faire renvoyer. Et tu n'as sûrement pas envie que tout le monde te prenne pour une cinglée en train de discuter avec un placard à balais.

— Oh, bien sûr, gloussa-t-elle. Attends-moi, je vais voir si la voie est libre.

Jenny referma doucement la porte et sur la pointe des pieds, approcha du salon. Environ huit filles étaient scotchées au téléviseur, elles n'en bougeraient pas tant que leur série ne serait pas terminée, même pas pendant les pubs. Elle se retourna et faillit rentrer dans Angelica Pardee, qui quittait la salle de bains vêtue d'une épaisse robe de chambre à fleurs qui semblait tout droit sortie de la garde-robe de sa grand-mère, les cheveux entourés d'un turban en serviette éponge blanc.

— Bonsoir ! dit gaiement Jenny en s'écartant pour la laisser passer.

— Bonsoir Jenny.

Pardee la salua d'un signe de tête, son visage humide affichait un air perpétuellement agacé.

— Tu as remarqué que les douches manquent de pression ?

— Heu, non, pas vraiment.

Jenny tentait de garder une voix normale, mais elle voyait bien, à la façon dont Pardee l'observait, qu'elle devait sembler bizarre. Elle perdait toujours au poker.

— Oh, enfin, soupira Pardee en se dirigeant vers son appartement au bout du couloir. Il va falloir que j'en touche un mot à la maintenance.

Ses tongs claquaient fortement sur le parquet en acajou ciré, laissant dans son sillage une série d'empreintes mouillées. Au moins elle n'avait pas remarqué les feuilles mortes pleines de boue. Jenny attendit d'entendre se refermer la porte de Pardee avant d'ouvrir celle du placard.

— Vite ! Pardee se rhabille, c'est l'occasion idéale.

— Tu es sûre que je ne risque rien ? demanda Julian, nerveux, en jetant un coup d'œil dans le couloir. Je commence à m'habituer à ce réduit.

Jenny pouffa et l'attrapa par le bras pour le forcer à prendre le couloir. Son cœur battait la chamade comme en pleine partie de cache-cache.

— Arrête de discuter ! lui murmura-t-elle en ralentissant lorsqu'ils passèrent devant la porte de la surveillante.

Tous deux avancèrent sur la pointe des pieds, puis gagnèrent la porte de derrière. Jenny ne respira que lorsque celle-ci fut ouverte, et Julian sur la pelouse, à l'extérieur du bâtiment.

— Voilà, lança-t-elle avec fermeté. Maintenant, file !

Elle tenta de prendre un air sérieux, mais ne put totalement dissimuler le sourire dans sa voix.

Julian se passa la main sur le front avec exagération.

— Ouf ! Mon ange gardien. Tu m'as sauvé la vie.

— Bien. À charge de revanche, répondit-elle en lui faisant signe de déguerpir. Je continuerai à chercher ton briquet, Padgett.

Julian lui décocha un drôle de sourire qu'elle ne parvint pas vraiment à interpréter.

— À plus, dit-il enfin avant de disparaître dans la nuit sans lune.

Jenny demeura sur le seuil un moment pour prendre une grande bouffée d'air automnal, avant d'éclater de rire. Sa relation avec Elias touchait peut-être à sa fin, mais tout à coup, d'autres garçons semblaient capables de mettre un peu de piquant dans sa vie à Waverly.

HibouNet

Messages instantanés
Boîte de réception

JulianMcCafferty :	Eh, t'étais passée où ?
TinsleyCarmichael :	Oh mon Dieu, t'es sorti ? Je t'ai complètement oublié.
JulianMcCafferty :	J'ai remarqué, figure-toi.
TinsleyCarmichael :	Désolée – il s'est passé un truc. Je me ferai pardonner.
JulianMcCafferty :	Ah oui ? Comment ?
TinsleyCarmichael :	Je te vois demain. On pourra terminer ce qu'on a commencé.
JulianMcCafferty :	Réfléchis un peu à la façon dont tu pourrais t'excuser.
TinsleyCarmichael :	Je ne fais que ça...

10

LES CONVERSATIONS PRIVÉES ENTRE HIBOUX DEVRAIENT SE TENIR EN PRIVÉ. AUTREMENT DIT, PAS EN PUBLIC.

Le lendemain matin très tôt, tellement tôt que c'en était à peine supportable, devant la porte de la salle de latin, Callie faisait son possible pour ne pas s'endormir debout dans ses grandes bottes Chloé. La seule façon pour elle de parvenir à se tirer du lit les lundi et mercredi matins était de préparer sa tenue la veille. Aujourd'hui, elle portait son cache-cœur Iisli en cachemire du rose le plus pâle qui puisse exister, une toute nouvelle jupe noire Theory avec un pli d'aisance à l'avant, une paire de collants sexy crocheté à la main et ses bottes en cuir noir. Mais ni sa tenue sexy ni la poussée d'adrénaline provoquée par la soirée entre filles de la veille ne parvenaient à lui remonter le moral – le cours de latin était chiant au possible et M. Gaston, qui tous les mercredis demandait à un élève de réciter *de mémoire* cinq lignes de *L'Énéide*, ne faisait rien pour le rendre plus supportable. Elle s'arrêta sur le pas de la porte et prit cinq grandes inspirations.

— On peut discuter une seconde ?

Tout à coup, Elias venait de se matérialiser devant elle, portant son pull en laine à rayures kaki et or – celui avec les trous aux coudes. Callie détestait le fait de connaître par cœur le moindre vêtement de sa garde-robe. Ainsi que son emploi du temps, ce qui lui permettait de savoir quand elle pouvait espérer le croiser ou pas. À cette heure, il était censé se trouver à l'autre bout du campus, à Webster Hall. Alors que fichait-il ici ?

— Qu'est-ce qu'il y a ?

Callie tenta de prendre un ton indolent mais elle ne parvenait pas à se contrôler : à l'instant où elle posait les yeux sur lui, elle se mettait à trembler légèrement. Elle essaya de penser à M. Gaston exigeant qu'elle lui récite un passage d'Ovide et cela la calma un peu – mais eut également pour effet de dégrader son humeur.

— Je t'avais dit qu'on se verrait avant le TP de bio.

Elias posa la main sur le bras de Callie et l'attira dans un coin du couloir, à l'écart des étudiants qui entraient en classe non sans leur jeter un regard entendu.

— Je ne pouvais pas attendre jusque-là. Écoute, je…

Sa voix s'affaiblit. Elle devait reconnaître qu'il avait une sale tête, comme s'il n'avait pas dormi de la nuit. Mais il y avait aussi de grandes chances que ce ne soit pas parce qu'il pensait trop à elle, mais plutôt parce qu'il avait encore joué à ses jeux vidéo idiots jusqu'à 3 heures du mat'. Elle se blinda un peu.

— Je veux qu'on se remette ensemble, dit-il.

Toi et moi ? Ou toi et Jenny ? ne put s'empêcher de penser Callie. Elle fixa les cernes noires sous ses yeux et entoura son poing dans la large ceinture rose de son pull.

— Qu… Quoi ?

Elle leva les yeux juste au moment où Benny Cunningham, vêtue d'une robe polo peu flatteuse à rayures vert pomme et bleu marine – des *rayures horizontales* ? elle était dingue ou quoi ? – pénétrait dans la salle, après avoir adressé à Callie un clin d'œil pas franchement discret.

— J'ai fait une énorme erreur.

Les yeux bleu foncé d'Elias paraissaient plus tristes que jamais. Il portait un Levi's qui ne méritait rien d'autre que la poubelle et avait une petite tache de dentifrice à la commissure des lèvres.

— Je ne voulais vraiment pas te faire de mal. Je crois qu'en fait, j'avais besoin de… euh… temps pour réfléchir.

Il déglutit.

— Mais je t'aime, lâcha-t-il comme s'il l'avait dit un million de fois avant.

Callie se mordit l'intérieur de la joue, son cœur se serra douloureusement dans sa poitrine. Depuis toujours ou presque, elle avait voulu qu'Elias l'aime. Enfin, depuis des mois, disons, mais elle avait l'impression que c'était une éternité. Malheureusement, il n'aurait pu choisir de pire moment pour faire sa déclaration. La veille, devant toute l'école, pour ainsi dire, Jenny et elle avaient scellé un pacte plaçant leur amitié au-dessus d'Elias. Pourquoi n'avait-il pas pu lui avouer ça hier ?

— Alors tu as rompu avec Jenny ? lui demanda soudain Callie, se rappelant qu'aux dernières nouvelles, selon Jenny, c'était elle qui avait suggéré qu'ils prennent le temps de réfléchir.

Elias fixa ses chaussures. Le bout usé de ses Vans marron paraissait curieux sur le marbre fraîchement lustré du couloir.

— Oui, enfin, ça n'est pas encore fait…

— Tu as vraiment tout compliqué.

Callie ne parvenait pas à le regarder dans les yeux – c'était trop dur. Elle craignait qu'il ne la déchiffre, que derrière son attitude de bravade, il découvre combien il lui avait manqué, combien elle avait envie de se blottir dans ses bras et de faire comme si c'était encore l'année dernière. Mais on n'était plus l'année dernière et Elias ne pouvait pas tout faire disparaître d'un simple claquement de doigts.

— Ce n'est pas parce que tu ressens ça aujourd'hui que tu le ressentiras toujours demain. Comment puis-je savoir que tu ne vas pas encore changer d'avis ?

Callie baissa les yeux et se rappela soudain qu'elle portait ces mêmes bottes Chloé à talons bobines l'horrible jour où Elias lui avait annoncé que c'était fini. Le jour où elle avait dû traverser la cour en larmes devant tout le monde, pour aller se réfugier dans sa chambre et pleurer sur l'épaule de Tinsley, en ayant l'impression que sa vie était terminée. C'était le pire jour de son existence – pourtant elle avait déjà vécu des moments terribles, comme la fois où elle s'était cassé la clavicule dans une chute de cheval et où son chaton, Butterscotch, s'était fait écraser par une voiture. Mais rien ne pouvait égaler cette sensation de rejet absolu qu'elle avait éprouvée lorsqu'Elias l'avait laissée tomber comme ça, avec autant de cruauté, et de façon tellement inattendue.

Elias ouvrit la bouche pour répliquer, mais Callie l'interrompit en tapant du bout de sa botte sur le sol en marbre.

— Non.

Elle aimait la manière dont sa voix résonnait dans le couloir désormais désert – elle avait l'impression d'être impitoyable.

— Nous pouvons être amis. C'est tout. Tu ne peux pas toujours avoir ce que tu veux quand tu le veux, Elias Walsh.

Elle ne s'était pas rendu compte à quel point la colère s'était insinuée dans sa voix, jusqu'à ce que M. Gaston apparaisse sur le seuil de la porte, sa moustache noire frétillant d'agacement.

— Tout va bien par ici ?

— Oui, nous étions juste en train de terminer une conversation, déclara fermement Callie qui, avec un dernier regard par-dessus son épaule, pénétra dans la classe, laissant Elias seul dans le couloir vide.

Elle était contente de l'avoir remis à sa place et d'avoir eu le dernier mot. Sauf qu'elle ne pouvait s'empêcher de repenser à ces mots – ces trois mots sublimes – qui étaient sortis de la bouche d'Elias.

11

LA COURTOISIE VEUT QU'UN HIBOU DE WAVERLY PARTAGE LE CONTENU D'UN COLIS AVEC SES CAMARADES HIBOUX.

À midi, la salle du courrier de Maxwell Hall grouillait, les Hiboux de Waverly tentant tant bien que mal de récupérer leur correspondance avant le déjeuner, dans l'espoir d'y trouver des lettres d'amour, le nouveau numéro de leur magazine préféré, ou mieux encore, un *avis de colis*. Tinsley était forcée de se mettre sur la pointe des pieds pour voir à l'intérieur de sa boîte, la 270, située tout en haut. On aurait pu s'attendre à ce que l'administration ait eu assez de bon sens pour attribuer les plus hautes aux joueurs de basket et les plus basses aux personnes les moins géantes de l'école. En temps normal, Tinsley ne voyait pas d'inconvénient à ce petit exercice d'étirement (elle se savait plutôt sexy sur la pointe des pieds, avec son pull soulevé qui laissait apparaître un coin de peau nue), mais elle portait ce jour-là ses ballerines Miu Miu en velours rouge, plus plates que plates, avec une robe noire Free People nouée dans le dos, très courte. Un mouvement trop ample et tout le monde verrait sa culotte. Si Tinsley n'était pas à proprement parler prude, elle n'allait tout de même pas donner à toute la salle l'occasion de se rincer l'œil gratuitement. Frustrée, elle faisait de petits bonds en essayant de jeter un coup d'œil par la fente, son lourd sac de cuir en bandoulière Juicy cognant maladroitement contre sa hanche.

— Tu as un problème ? lança quelqu'un dans son dos. Je parie que tu pries très fort pour que quelqu'un de vraiment grand… et beau… et *jeune*… vienne t'aider.

Tinsley roula des yeux en reconnaissant la voix de Heath Ferro et se retourna pour lui faire face. Il portait un polo Lacoste jaune pâle qui semblait ultra-neuf, col relevé. On aurait dit qu'il partait jouer au golf.

— Ça ne te dérange pas ? demanda-t-elle sur un ton faussement doux, déterminée à ne pas laisser transparaître son agacement.

Était-ce censé être une blague à propos de Julian ?

— Tu pourrais attraper le courrier dans ma boîte ou alors c'est trop demander à un superhéros ?

— Jamais je ne pourrais dire non à une demoiselle en détresse, répondit galamment Heath en plongeant sa main dans la boîte sans le moindre effort. Mais tu dois me promettre de partager.

Il agita au-dessus de la tête de Tinsley ce petit avis jaune tant convoité qui indiquait « Paquet trop volumineux ».

Elle rit et posa une main sur sa hanche – elle n'allait tout de même pas sauter de joie pour faire plaisir à Heath Ferro.

— Oh, je suis sûre qu'il n'y aura rien d'intéressant pour toi. Ce sont sûrement les nouvelles culottes La Perla que j'ai commandées.

— Alors là, tu es obligée de partager, fit Heath en faisant mine de défaillir, pendant que Tinsley lui arrachait le papier des mains.

Elle fonça droit sur le point de collecte des colis, Heath sur les talons, comme un petit chien. Il n'avait rien de mieux à faire ?

— Boîte deux cent soixante-dix, annonça-t-elle en tendant son avis à la fille derrière le comptoir.

Cette dernière lui tendit un paquet de la taille d'une boîte à chaussures.

— Adea, hein ? commenta Heath, qui regardait l'adresse par-dessus son épaule.

— Comment tu… Oh.

Tinsley baissa les yeux vers le colis et vit que sa mère avait précisé son deuxième prénom dans l'adresse : Tinsley Adea Carmichael.

— Ma grand-mère danoise s'appelait comme ça, marmonna-t-elle, l'œil attiré par le reste de l'adresse.

L'élégante écriture de sa mère avait destiné le paquet à la boîte deux cent sept. Ça faisait quand même trois ans qu'elle était là et sa mère ne connaissait toujours pas le bon numéro. Elle espérait que le contenu en valait la peine. L'adresse de l'expéditeur était celle de ses parents à New York, l'appartement en terrasse de Gramercy Park. Hmm. Elle les croyait à Amsterdam – son père y négociait un juteux contrat d'affaires – mais bien entendu, ils ne l'avaient pas tenue au courant de leurs projets assez rapidement.

— Je t'offre un mochaccino si tu me montres ce qu'il y a dedans, proposa Heath comme Tinsley glissait son paquet sous un bras.

— C'est ton jour de chance, Ferro.

Elle haussa les épaules et tous deux se dirigèrent vers le coin café.

Elle avait toujours besoin d'un petit remontant à cette heure-là, sinon les cours de l'après-midi lui paraissaient insurmontables.

— Alors comme ça, Julian, hein ?

Heath guetta la réaction de Tinsley du coin de l'œil, une expression parfaitement angélique sur son doux visage. Ils enjambèrent un catalogue J.Crew abandonné sur le sol et sortirent de la salle du courrier.

L'enfoiré. Il savait quelque chose, c'était sûr. Et si Heath était au courant, alors le reste du campus n'allait pas tarder à l'apprendre. Elle s'empressa de poser la main sur son avant-bras et, prenant une voix aiguë, qui affolait complètement les garçons, lui rétorqua :

— Tu sais bien que tu es le seul qui compte pour moi, H.F.

— Ha !

Il fit semblant de lui jeter un regard méfiant, mais elle vit ses yeux prendre un air mielleux. Heath était un tel obsédé qu'une petite dose de l'élixir Carmichael suffisait à lui faire oublier l'affaire Julian. Pour l'instant.

— Quelle allumeuse tu fais, répondit-il en lui tenant la porte du café et en se plaçant derrière elle dans la queue.

Il commanda, paya et Tinsley alla chercher les boissons au comptoir.

Elle se dirigea vers une table libre dans un coin, Heath sur les talons. Elle laissa tomber son colis sur la table d'un air indifférent et se glissa sur la banquette en cuir rouge. Heath jeta un coup d'œil tout autour de lui – super discret – avant de reprendre à voix basse :

— Mon contact au magasin d'alcools peut nous avoir de la bière à un tarif imbattable, il a même proposé de nous louer une grange quelque part en ville.

Il s'étira, son tee-shirt se souleva, révélant ses abdos en acier tout bronzés.

— Tu crois qu'on pourrait trouver un moyen de soudoyer Marymount pour qu'il nous laisse tous sortir du campus ?

Tinsley haussa un sourcil, fouilla dans son sac à main. Elle en sortit la lime à ongles miniature Sephora qu'elle gardait toujours sur elle, et s'en servit pour enlever le ruban adhésif du paquet. Non seulement cette lime était utile pour toutes les urgences de manucure, mais elle lui donnait l'impression d'être Alice Roy la détective. Ou MacGyver.

— Et si c'était moi qui lui suggérais ? proposa-t-elle.

Elle était déjà en pleine réflexion – Marymount lui devait bien une faveur, avec tous les secrets qu'elle avait su garder. Le week-end de Boston remontait à quelques semaines déjà, mais Heath, Callie et elle avaient tous trois réussi (de façon plutôt incroyable) à ne pas ébruiter leur découverte. Le directeur et Angelica Pardee, aussi mariés l'un que l'autre, en train de se faire des mamours. Au tour de Marymount de l'en remercier, maintenant.

— Mon chou, tu es jolie, mais ne sois pas présomptueuse…

Heath attrapa le paquet, mais Tinsley le lui arracha des mains.

—…Tu crois qu'il te suffira de lui demander l'autorisation d'organiser une beuverie en dehors du campus en exhibant tes jambes, pour qu'il dise oui ?

— Mais non, idiot.

Tinsley jeta un coup d'œil dans le colis et aperçut les reflets dorés d'une boîte portant le nom de *Teuscher*. Mmm. Des truffes suisses. Ça, ça se partageait. Elle ouvrit la boîte, enleva les cinq billets de cent dollars tout neufs soigneusement placés à l'intérieur. Sa mère lui envoyait toujours du liquide, comme si elle n'avait pas de carte bancaire et comme si Rhinecliff regorgeait de tentations, en dehors des tee-shirts en tie & dye et de l'herbe. Enfin, c'était gentil de sa part.

— Je me montrerai un peu plus créative. Je trouverai un argument crédible… Genre projection en plein air du ciné-club.

Elle était impressionnée par sa propre vivacité d'esprit. Il y avait vraiment un peu d'Alice Roy en elle, en plus machiavélique.

Heath se jeta sur les chocolats et en engloutit deux à la fois. Tinsley le fixa, un peu surprise de constater qu'il parvenait à rester beau gosse malgré ses manières répugnantes.

— Tu penses que ça peut marcher ? demanda-t-il, la bouche pleine de praliné.

Tinsley ôta l'emballage délicat d'une truffe framboise aux deux chocolats et la déposa sur sa langue, laissant les saveurs somptueuses envahir doucement sa bouche. Elle posa sa tête sur le dossier, ferma les yeux. Elle attendit que le chocolat eût complètement disparu pour daigner lui répondre, en ouvrant un seul de ses yeux violets.

— J'en suis certaine.

12

UN HIBOU DE WAVERLY SAIT QUE TOUTES LES BONNES CHOSES ONT UNE FIN – ET C'EST PARFOIS MIEUX COMME ÇA.

— En guise de *devoir*, annonça Mme Silver le mercredi après-midi, en insistant sur le mot *devoir*, (alors que Jenny savait que personne dans cette option de dessin du corps humain ne considérait cela comme tel), je vous demanderai de peindre ou de dessiner une personne du sexe opposé, en mettant en évidence une caractéristique de sa personnalité.

Ses yeux bleus de Mère Noël scintillèrent.

— Soyez créatifs. Et rendez-moi vos productions vendredi.

Elle haussa la voix pour couvrir le brouhaha des élèves en train de refermer leurs carnets de croquis et de ranger leurs crayons dans leurs boîtes.

— Ce week-end, des jeunes intéressés par notre école viennent visiter le campus, alors j'aimerais pouvoir leur montrer toute l'étendue de votre talent.

Jenny laissa tomber son épais morceau de fusain dans le compartiment spécial de sa boîte à crayons et essaya de ne pas repenser à ce jour où Elias lui avait proposé de le retrouver dans sa clairière préférée pour faire son portrait. Tout, dans cette journée, lui semblait parfait aujourd'hui, et Jenny regrettait de ne pouvoir conserver tel quel ce souvenir dans sa mémoire, en faisant abstraction de tous les sentiments compliqués et dégoûtants qui en avaient ensuite découlé.

Pour l'heure, Elias était perché sur un tabouret à l'autre bout de la salle, à côté de Parker DuBois, et il prenait des notes dans son carnet de dessin Moleskine. Jenny prenait très au sérieux le pacte qu'elle avait fait avec Callie – même si, à voir le comportement d'Elias, ça ne paraissait pas forcément nécessaire. Il l'avait peut-être déjà oubliée.

— Oh, et, les enfants, j'aimerais que vous ouvriez un peu vos horizons : demandez à quelqu'un qui n'est pas dans ce cours d'être votre modèle, ajouta Mme Silver en fronçant son petit nez rond. Histoire de bouger un peu.

Elle secoua les hanches à la manière d'une vahiné, pour illustrer son propos.

Jenny se sentit immédiatement soulagée. Tant mieux. Au moins, Elias et elle ne pourraient pas se dessiner l'un l'autre. Elle n'avait donc pas à craindre qu'il refuse.

Bien qu'elle ait passé la matinée à réfléchir à la façon dont elle allait rompre avec lui (si toutefois ils sortaient encore ensemble, ce dont elle n'était pas sûre), elle n'avait vraiment pas envie de le faire aujourd'hui. Pas alors qu'elle portait son jean préféré Citizen of Humanity, cadeau de Noël de son père, le seul vêtement qu'il lui ait jamais acheté et qu'elle osât vraiment porter en public. Certes, elle lui avait envoyé par e-mail la photo exacte de celui qu'elle voulait, sur le site Saks.com, avec la taille et tout, mais elle ne s'attendait pas à ce qu'il le lui achète, tout de même. Bref, elle ne voulait pas que ce jean devienne *le* jean qu'elle portait le jour de sa rupture avec Elias.

— On va boire un café avant l'entraînement ? proposa-t-elle à Kara pendant qu'elles se lavaient les mains aux lavabos situés au fond de l'atelier.

Elle savait que c'était purement névrotique, mais elle ne voulait pas rester seule pour l'instant. Alison avait déjà filé retrouver Alan pour un rendez-vous devoirs de latin à la bibliothèque – perspective qui aurait même paru séduisante à Jenny.

— Désolée, je ne peux pas.

Kara se sécha les mains à l'aide de l'une des serviettes en papier marron toutes rêches de qualité industrielle qui semblaient incontournables dans les salles de dessin.

— J'ai rendez-vous avec M. Wilde pour discuter de mon interro d'histoire.

— Oh, fit Jenny en souriant à son amie. Tu as de la chance.

Elle avait hâte de commencer le cours d'histoire américaine l'année prochaine. Elle avait croisé le super craquant M. Wilde un jour à Stansfield Hall et avait remarqué qu'il portait un tee-shirt du groupe Modest Mouse sous sa chemise parfaitement repassée.

Les filles prirent leur sac et se dirigèrent vers la sortie du bâtiment. Jenny jeta un coup d'œil autour d'elle, mais ne vit Elias nulle part. Kara tira un tube de baume à lèvres à la cerise de sa poche de jean élimé et s'en passa un peu.

— Eh bien disons que le cours d'histoire est un de ceux pour lesquels je suis toujours contente d'avoir besoin d'aide.

Elle adressa un clin d'œil à Jenny et toutes deux ouvrirent la porte à double battant qui les menait vers le monde extérieur ; un chaud soleil les inonda, le campus tout entier s'étendait sous leurs yeux avec ses couleurs vives, rouge, orange, jaune.

Jenny salua Kara de la main et la suivit des yeux. Elle prit un instant pour chercher ses lunettes de soleil dans son sac et elle le vit : appuyé contre une des colonnes, Elias Walsh l'attendait.

— Je peux t'accompagner ? demanda-t-il en se protégeant les yeux du soleil d'une main, tandis que de l'autre il tenait son carnet de croquis.

Jenny remit son lourd sac à l'épaule.

— Bien sûr.

Tous deux traversèrent la cour d'un même pas, en silence. De grandes feuilles de chêne étaient disséminées sur la pelouse, Jenny se pencha pour en ramasser une. Elle était jaune à taches orange, et tellement jolie que Jenny eut envie de la faire sécher pour l'offrir à son père. La transformer en marque-pages, pourquoi pas ? N'avait-elle pas déjà fait ça en camp artistique ? Elle essaya de se concentrer sur ce nouveau projet – ça ou n'importe quoi d'autre que le sujet qu'Elias voulait aborder.

— Bon, j'ai, euh, pas mal réfléchi.

Il avait une voix bizarre, comme s'il avait répété ce qu'il allait dire ou comme s'il s'attendait à ce que Jenny soit en colère contre lui. Elle s'immobilisa et lui fit face. Elle remonta la fermeture éclair de son sweat-shirt à capuche.

— Moi aussi.

Elias hocha la tête.

— Ah oui ?

Il n'arrêtait pas de tripoter le paquet de cigarettes dans sa poche arrière de jean, comme s'il mourait d'envie d'en fumer une, mais ils se trouvaient au beau milieu du campus, à la vue de tous.

— C'est bien. Heu… Je pense que ce serait une bonne idée si on… se séparait.

Bien qu'elle se fût préparée à ces mots, ils lui firent très mal. Cependant, ils s'accompagnaient d'autre chose, d'un sentiment auquel elle ne s'était pas attendue : le soulagement. Au moins elle avait une réponse, désormais. Avec Elias, c'était terminé. Callie et elle pouvaient de nouveau être amies et colocataires.

Elle hocha la tête doucement, regarda une douzaine de garçons et de filles qui descendaient en courant la volée de marches de l'un des bâtiments de cours.

— Je crois que c'est la meilleure solution, répondit-elle.

Il lui jeta un regard hésitant, comme surpris que ce soit si facile et Jenny se demanda s'il s'attendait à une dispute, comme avec Callie lorsqu'il l'avait laissé tomber. Mais ce n'était pas le style de Jenny et puis, elle n'était pas en colère. Juste triste. Il se dandina d'un pied sur l'autre, l'air gêné.

— On peut… rester amis, hein ?

Jenny voyait bien quelle difficulté il avait à prononcer une phrase aussi cliché et, finalement, plutôt naze. Cela lui parut si maladroit, sorti de sa bouche, qu'elle faillit éclater de rire.

— Bien sûr, lui dit-elle.

Elias se pinça le haut du nez entre son pouce et son index maculés de peinture.

— Pour de vrai ? demanda-t-il encore en la regardant.

Elle sentit ses yeux bleu foncé explorer son visage.

— Oui, pour de vrai.

Jenny lui sourit, bien que son ventre fût encore tout noué. Elle regrettait déjà de ne plus pouvoir passer ses mains dans ses boucles rebelles, ni embrasser ses lèvres, mais elle était surtout soulagée de ne plus rien faire de mal.

— Écoute… relança-t-elle, sans avoir la moindre idée de ce qu'elle voulait ajouter.

Elle fixa son regard sur le ciel bleu vif et aperçut un gros hibou marron qui fonçait entre deux arbres. Cela lui rappela son premier jour à Waverly, lorsqu'elle s'était quasiment fait attaquer par un de ces volatiles. Elle donna un petit coup dans l'herbe du bout de ses babies en se demandant si les choses allaient toujours aussi vite à Waverly.

— Je t'aime beaucoup, Elias. Ça ne changera pas parce que les choses entre nous sont… différentes.

— C'est clair, répondit-il en hochant la tête, l'air toujours surpris.

Par-dessus son épaule, Jenny vit Tinsley qui déambulait, vêtue d'une minirobe noire, lunettes de soleil Fendi posées au bout de son nez, très mode.

Elias se mit à mordiller ses lèvres gercées.

— Franchement, tu dois être la fille la plus cool que j'aie jamais rencontrée.

Il tira sur les manches de son pull gris, visiblement très cher, maintenant couvert de taches de fusain.

— Je vais le prendre comme un compliment. Écoute, il faut que j'y aille, répondit Jenny en penchant la tête vers Dumbarton.

Elle se sentait prise d'un léger vertige et avait envie de parler à Beth. Et de pleurer un peu, peut-être. Avant d'aller à l'entraînement, de courir sur le terrain à en avoir les jambes qui tremblent, en tapant dans le palet de hockey à pleine force. Et puis, ce soir, Beth, Callie, Kara et elle pourraient peut-être mater un film dans le salon à l'étage, de préférence idiot et distrayant, en mangeant du pop-corn brûlé.

Elias s'arrêta et ouvrit légèrement la bouche, comme pour ajouter quelque chose, mais les mots ne sortirent pas. Jenny le salua de la main et s'éloigna. Tandis que ses babies l'éloignaient du garçon qu'elle croyait aimer, elle n'eut même pas la tentation de se retourner.

HibouNet

Messages instantanés
Boîte de réception

JennyHumphrey :	C'est officiel. Elias et moi c'est terminé pour de bon. Il s'est chargé du sale boulot.
CallieVernon :	C'est vrai ? La vache. Tu te sens comment ?
JennyHumphrey :	Je sais pas. Triste. Mais soulagée.
CallieVernon :	Soulagée ?
JennyHumphrey :	Oui. Contente d'avoir réussi à donner la priorité à notre amitié, finalement.
Callie Vernon :	Besoin d'un remontant ? Margaritas ce soir ?
JennyHumphrey :	Par-fait.

13

UN HIBOU DE WAVERLY NE FAIT PAS PASSER DE PETIT MOT EN CLASSE – LES SMS, C'EST FAIT POUR ÇA.

Le mercredi matin Beth était plongée dans la contemplation du tableau noir en cours d'algèbre, sans parvenir à comprendre, malgré tous ses efforts, ce que signifiaient tous ces chiffres et graphiques. En temps normal, Docteur Goldstein, la professeur de mathématiques complètement croulante, diplômée du Massachusetts Institute of Technology, parvenait à aller suffisamment lentement pour permettre à tous ses élèves de suivre le raisonnement qu'elle gribouillait au tableau, mais aujourd'hui, Beth était complètement perdue. Était-ce parce qu'elle avait discuté mecs et sexe dans la salle commune du rez-de-chaussée jusque tard dans la nuit au lieu de réviser ? La réunion des Femmes de Waverly avait vraiment eu un effet libérateur sur tout le monde. Les filles avaient bu du Coca light en grignotant des chips dans une ambiance vraiment géniale. En règle générale, les filles de Waverly étaient, sans le vouloir, à moins que ce ne soit conscient, en perpétuelle compétition avec les autres. Toujours en train d'examiner laquelle avait le sac à main dernier cri, les chaussures les plus sexy, le mec le plus canon. Mais la veille, tant de tensions avaient été libérées, que Beth avait l'impression que sa vie à Waverly venait de prendre un nouveau tournant, que le meilleur était à venir, indépendamment du fait que cette année, sa vie amoureuse était, elle, en proie à des turbulences dramatiques – pour ne pas dire « en chute libre » –, qui semblaient la mener droit au désastre.

Elle n'arrivait tout simplement pas à accepter l'idée que Jeremiah ait pu *coucher* avec une autre. S'il s'était contenté d'embrasser son idiote de nana, encore, elle aurait pu le comprendre. Les baisers, ça arrive. Mais le sexe ? On ne couchait pas avec quelqu'un *comme ça*. Il y avait tout un tas d'étapes – donc tout un tas d'occasions pour lui de s'arrêter, et éventuellement, juste éventuellement, de *ne pas le faire.*

Beth sentit quelque chose entre ses omoplates à travers son fin pull gris à col boule. Derrière elle, un joueur de foot costaud lui tendait une page de cahier pliée un million de fois en forme de minuscule triangle. Elle le regarda d'un air interrogateur, se demandant pourquoi il lui faisait passer un petit mot, alors qu'ils ne s'étaient même jamais adressé la parole. Il pencha la tête vers la gauche, désignant, de l'autre côté de l'allée, Heath Ferro, affalé sur sa chaise comme s'il s'agissait d'un fauteuil. Il adressa un clin d'œil à Beth.

Génial. Elle se retourna et déplia lentement la note sous son bureau en prenant garde de ne pas faire trop de bruit. Depuis quand Heath Ferro faisait-il circuler des petits mots ? On se serait cru au collège. Le message, rédigé dans une écriture étonnamment soigneuse, disait : *J'ai vu des tas des baisers dans ma vie, et C'EST CLAIR, il y avait quelque chose dans celui que tu as donné à Kara. Je me trompe ?*

Beth se sentit rougir. *Quoi ?* Elle résista à l'envie d'en faire une boulette et de l'envoyer sur Heath. À la place, elle replia soigneusement la feuille en triangle et la mit dans la poche de son ample jean noir Sevens. Elle fixa le tableau et tenta de se concentrer sur les chiffres.

Tout à coup, elle sentit quelque chose vibrer en silence à côté d'elle. Elle extirpa doucement son Nokia argenté de la poche de son blazer bordeaux Waverly posé sur le dossier de sa chaise et le cacha sur ses genoux d'un air dégagé. C'était un texto de Heath.

JE SUIS SÉRIEUX ! C'ÉTAIT SUPER SEXY. T'AS FORCÉMENT RESSENTI QUELQUE CHOSE.

Elle lui répondit très vite : T'ES MALADE.

Presque immédiatement, son téléphone vibra à nouveau. Beth jeta un regard autour d'elle ; dans la salle, la plupart des autres étudiants ne faisaient pas attention à elle, soit ils avaient les yeux rivés au tableau, l'air largué, soit ils étaient occupés à envoyer des SMS sous leur bureau. Et dire que les portables étaient interdits sur le campus... Résultat : tout le monde s'en servait *en cours* ! Elle lut ce que disait Heath : ARRÊTE. VOUS AVIEZ L'AIR TOUTES LES 2 TROP... SEXE. VOUS DEVRIEZ RECOMMENCER.

Ce type était vraiment cinglé, Beth en était certaine. Ou juste submergé par la puissance de ses fantasmes. Il s'était sûrement précipité dans son dortoir après la réunion de la veille pour se vanter auprès de tous ses copains d'avoir pris son pied avec tout un groupe de filles en chaleur pendant qu'eux étaient restés là à jouer à la Xbox. Sans un regard pour Heath, elle laissa tomber son portable dans son sac fourre-tout en cuir rouge Kate Spade, manière de lui faire savoir qu'elle s'abstiendrait de toute autre réponse.

À la fin du cours, il parvint à coincer Beth.

— Hé, je ne déconne pas, dit-il en l'attrapant par le bras pour la prendre à l'écart. Vous aviez vraiment l'air de…

— Écoute, je ne vois pas du tout de quoi tu veux parler.

Beth le poussa contre le mur, hors du flot d'élèves ravis d'en avoir terminé avec les cours de la matinée. Personne ne prêtait attention à eux, mais elle était toujours énervée, bien qu'elle fît de son mieux pour ne pas le laisser paraître.

— On risque de t'entendre, idiot.

Heath glissa un bras autour de ses épaules et ouvrit la bouche pour dire quelque chose, mais elle le coupa dans son élan. Jetant un regard autour d'eux, elle se pencha pour lui souffler à l'oreille :

— Je ne suis *pas* lesbienne.

— Ce n'est pas ce que j'ai dit, répondit Heath en haussant les épaules. Je ne prétends pas comprendre le mystère de la sexualité féminine.

Le col de son polo Lacoste couleur banane était à moitié baissé.

— Je dis juste que tu devrais essayer d'embrasser *K* – Beth le fit taire d'un regard –… de l'embrasser, elle, à nouveau, pour voir ce que ça fait.

Avec le plus grand calme, Beth se débarrassa du bras toujours enroulé autour de ses épaules.

Elle s'en alla en faisant claquer ses talons compensés Via Spiga sur le marbre du couloir. Heath la suivit de près. Elle sentit son après-rasage lorsqu'il prit appui sur son épaule pour lui murmurer à l'oreille :

— Si tu n'essayes pas, tu pourras toujours aller discuter avec Mme Emory, pouffa-t-il, en faisant crisser ses tennis sur le sol.

Mme Emory était une prof d'histoire, lesbienne notoire.

—… Elle trouvera peut-être quelques mots pleins de sagesse.

Beth, exaspérée, bouillonnait intérieurement, mais elle prit soudain conscience de l'endroit où elle se trouvait, lorsqu'elle sentit une dizaine de paires d'yeux braqués sur elle. Il était hors de question qu'elle poursuive cette conversation sur sa sexualité – avec Heath Ferro qui plus est – devant l'école tout entière. Elle se retourna et lui pointa son index très rouge sur la poitrine, un brin aguicheuse. Ses yeux vifs soutinrent le regard vert blasé de Heath. Elle se pencha vers lui, il braqua les yeux sur ses lèvres, comme s'il s'attendait à recevoir un baiser.

— Ne. Parle. Plus. Jamais. De. Ça.

Beth s'était exprimée lentement en articulant chacun des mots et Heath demeura cloué sur place, comme hypnotisé. *Voilà*, songea-t-elle triomphalement, en se demandant si elle n'était pas possédée par l'esprit de Tinsley. Elle tourna brusquement les talons et franchit la lourde porte principale pour retrouver le vif soleil automnal.

Elle tenta de reprendre ses esprits, mais elle avait l'impression d'être éparpillée en tous sens – une sensation qu'elle avait éprouvée toute la journée. Elle avait bien besoin de penser à autre chose pendant un moment ; elle allait se rendre à la bibliothèque pour emprunter un livre de Dorothy Parker – qui n'était pas lesbienne. Une citation de son auteur préféré lui revint immédiatement, en forme de présage : « Ce ne sont pas les tragédies qui nous tuent, mais le gâchis. »

Elle espérait juste que sa vie n'était pas en train de se transformer en un grand gâchis.

HibouNet

Messages instantanés
Boîte de réception

BennyCunningham :	Je crois que Beth craque pour Heath.
AlisonQuentin :	Hum... Et les poules ont des dents, c'est ça ?
BennyCunningham :	Non, je suis sérieuse ! Je les ai vus dans le couloir en train de se dire des trucs à l'oreille aujourd'hui, et ils étaient très très proches.
AlisonQuentin :	Heath avait peut-être quelque chose de très intéressant à dire ?
BennyCunningham :	Oh, arrête. Tu te rappelles la dernière fois que ça lui est arrivé ?
AlisonQuentin :	T'as raison, ça doit être l'amour.

HibouNet

Messages instantanés
Boîte de réception

EliasWalsh :	T'es où ?
CallieVernon :	Je traverse la cour, je vais à l'entraînement. Pourquoi ?
EliasWalsh :	Ne bouge pas, j'arrive dans 2 minutes.
CallieVernon :	Quoi ? Pourquoi ?
EliasWalsh :	Elias !

14

UN HIBOU DE WAVERLY N'EST JAMAIS EN RETARD À UN ENTRAINEMENT À MOINS D'AVOIR UNE BONNE RAISON.

Après le mystérieux message d'Elias, Callie remit son portable dans la poche de son sweat-shirt gris à capuche au logo de Vassar et s'arrêta au milieu de la cour en se demandant si ça valait la peine de l'écouter. Il faisait frisquet, et les oiseaux dans le ciel avaient adopté une formation en V, ce qui semblait indiquer qu'ils se dirigeaient déjà vers le sud. Les petits malins. Callie avait froid, mais ces temps-ci, c'était toujours le cas – c'était le seul inconvénient, quand on mincissait. Même si elle ne se sentait pas particulièrement maigre dans son gros sweat en polaire et son pantalon de survêtement gris.

Callie observa tous les élèves bien emmitouflés qui se pressaient pour rejoindre leur salle de cours, leur dortoir ou le stade et se rendit compte, tout à coup, que tout le monde était en mouvement, sauf elle, qui demeurait immobile. Elle se lança immédiatement dans une série d'échauffements avant le hockey, comme s'il était naturel de faire ça au milieu de la cour au lieu du stade. Merde. Pourquoi Elias lui réservait-il toujours des coups pareils ? Et pourquoi se laissait-elle toujours faire ? Qu'il aille se faire voir.

Elle fulminait en se penchant pour étirer ses tendons, le sang lui montant à la tête. Elle approcha doucement ses mains de ses pieds et à travers ses jambes écartées, elle vit Elias qui traversait la cour dans sa direction. Même à l'envers, il était canon et elle voyait bien, d'après les mouvements de son sac contre sa hanche, qu'il se pressait pour ne pas la rater. Callie remonta tout de suite, le sang coula de nouveau normalement dans ses veines. Elle secoua sa crinière blonde qui devait sûrement être pleine d'herbe, d'insectes ou d'autres cochonneries, à force de traîner par terre. Berk.

— Qu'y a-t-il ? demanda-t-elle avec brusquerie en essayant de paraître contrariée, comme il arrivait à sa hauteur.

Elle ressentait un léger vertige – parce qu'elle avait eu la tête à l'envers, se convainquit-elle, et non parce qu'Elias Walsh venait d'apparaître devant elle. Il s'était changé et portait maintenant un pull en laine gris anthracite Michael Kors, attention adorable qui ne lui ressemblait pas du tout.

— Je voulais te demander d'être mon modèle, dit-il.

Ses yeux bleu foncé scrutèrent son visage avec cette façon bien particulière qu'il avait de tout embrasser à la fois, de tout lire. Son regard perçant ne manquait jamais rien – il avait sûrement remarqué jusqu'au dernier brin d'herbe minuscule dans ses cheveux, ou la sécheresse de sa peau. Pourtant, il lui proposait de poser pour lui ? Même après la façon dont elle l'avait remis en place ce matin ?

— Pour le cours de dessin, clarifia-t-il. On a un devoir à rendre.

Callie sourit devant l'ironie du sort. Était-ce une journée à l'envers ? Pendant des mois – pratiquement un an, en fait, depuis qu'ils sortaient ensemble – elle avait rêvé que son petit ami artiste lui demande de l'accompagner dans les bois pour réaliser un portrait d'elle. Il aurait pu faire une sculpture à partir de cintres et de boîtes de conserve, elle aurait été émerveillée. Elle aurait été Edie Sedwick, lui Andy Warhol. Béatrice, et lui Dante.

Mais il ne le lui avait jamais proposé. Jusqu'à maintenant, maintenant qu'ils ne pouvaient plus former un couple. Surtout après ce qu'ils avaient vécu, et ce qu'elle avait promis à Jenny. Elle avait annoncé à Elias que c'était terminé entre eux et le pensait. Mais en était-elle bien certaine ?

— Que faudra-t-il que je fasse ? lui demanda-t-elle doucement en donnant un petit coup d'Adidas dans l'épaisse pelouse de la cour.

Il secoua la tête avec véhémence.

— Rien. Juste poser pour moi.

Un sourire apparut sur son visage.

— Juste être toi-même.

Callie gloussa. Être soi-même. C'est ça. Mais pas en survêtement, alors.

— Tu es sûr de vouloir me dessiner… moi ?

Elias ne prit même pas une seconde pour réfléchir à la réponse.

— Oui.

Il ne quitta pas son visage des yeux.

Elle soupira. Elle ne pouvait pas rester fâchée à jamais avec Elias. Ils allaient bien devoir devenir amis à un moment donné… Pourquoi pas maintenant ? Il avait besoin de dessiner ou de peindre quelqu'un pour son cours d'art, et elle pouvait lui rendre ce service, en amie. Ce n'était pas comme s'il sortait avec une autre – Jenny et lui, c'était terminé. Autrement dit, ce serait strictement platonique.

— D'accord, répondit-elle d'une voix égale avec un hochement de tête hésitant.

Alors pourquoi avait-elle les mains moites ?

Elias prit une grande inspiration.

— Génial.

Il leva les yeux vers elle à travers ses longs cils foncés.

— Tu as beaucoup de trucs à faire ce soir ?

— Des trucs ? répéta-t-elle, amusée.

— Ouais, dit-il en souriant. Tu sais, du latin, des maths. Des trucs.

Callie ne put s'empêcher de laisser le sourire gagner son visage. Bien sûr, les devoirs, les cours – tout ce qui expliquait leur simple présence à Waverly – tombaient dans la catégorie des « trucs » d'Elias.

— Si tu me demandes si j'ai du temps ce soir, eh bien, oui, si tu veux…

Bien entendu, elle avait un tas de devoirs à faire, mais l'idée de faire le mur en compagnie d'Elias pendant quelques heures lui paraissait une bouffée d'air frais.

— … Ovide ne m'en fera pas tout un plat si je manque notre rencard de ce soir.

— On se retrouve dans les bois à l'heure du dîner ? proposa Elias en remontant les manches de son pull – sûrement le vêtement le plus cher en sa possession – jusqu'aux coudes, ce qui étira les délicats poignets.

— OK.

Elle marqua un temps d'arrêt.

— On n'aura qu'à aller au snack après ? proposa-t-elle calmement.

Le service de restauration proposait le système suivant : si vous ratiez le dîner (à cause d'un match à l'extérieur, d'un entraînement de sport tardif ou autre), vous pouviez utiliser vos points de dîner au snack-bar Maxwell à n'importe quel moment de la soirée. L'année précédente, Elias et elle se retrouvaient toujours dans les écuries après le sport pour batifoler quelques heures jusqu'à la fermeture du réfectoire, et ensuite, affamés, ils se rendaient au snack pour manger des frites et des galettes à l'houmous.

— Je t'offrirai même un milk-shake à la fraise, promit Elias, les yeux brillants.

— Marché conclu.

Elle hocha la tête d'un air décidé. Elle adorait les milk-shakes.

— Tu me retrouves à la clairière dans les bois ? Elle est...

Callie l'interrompit.

— Je sais, Elias.

Juste à côté de l'endroit où les garçons étaient allés chercher des champignons. Tinsley et elle s'étaient aventurées par là un jour et en voyant le petit champ clôturé parsemé de fleurs sauvages et de rochers aux formes biscornues, Callie avait aussitôt su que c'était l'endroit secret d'Elias. Elle avait souvent feuilleté ses carnets de croquis, regardé ses dessins bizarres mais néanmoins magnifiques d'arbres, de feuilles, de mégots de cigarette – sous son crayon, tout devenait beau...

Et maintenant, il allait la dessiner, elle. Callie fut parcourue par un petit frisson et entendit un coup de sifflet au loin.

— Merde, murmura-t-elle. Il faut que je file. À plus.

Elle attrapa sa crosse et fonça en direction du stade ; Smail allait lui infliger un tour de terrain supplémentaire à cause de son retard.

Mais ça valait le coup, quand même.

15

UN HIBOU DE WAVERLY SAIT QUE LES MEILLEURES SURPRISES N'EN SONT PAS TOUT À FAIT.

Lorsque le taxi jaune s'éloigna, et que Brandon se retrouva seul devant le portail couvert de mousse de St Lucius, il se rendit compte qu'il s'était tellement emballé pour son grand geste romantique qu'il avait omis la partie la plus importante du plan : savoir où trouver Elizabeth. Il fit quelques pas en direction de ce qui semblait être des résidences, conscient du regard interrogateur des élèves qui fourmillaient alentour.

St Lucius était une sorte de Waverly bizarre : la même brique rouge, le même lierre sur les murs et de magnifiques chênes qui entouraient une immense pelouse, et pourtant, pas un visage familier. Il avait acheté un bouquet d'orchidées en ville, à Rhinecliff – les roses étaient trop conventionnelles, les marguerites trop nases – et, tout à coup, il se sentait un peu gêné. Les élèves avaient bel et bien les yeux rivés sur lui et son énorme cône de fleurs fuschia et blanches, qu'il tenait un peu loin de sa poitrine pour ne pas les écraser. Il avait l'impression d'être Forrest

Gump avec sa boîte de chocolats. Eh bien, tant pis. Ils n'avaient jamais vu un mec offrir des fleurs à une fille ?

Deux filles en jupes en jean courtes et blazer violet, aux couleurs de St Lucius, approchèrent de Brandon par l'allée pavée. À en juger par l'usure de leur veste, elles devaient être en terminale.

— Excusez-moi... dit Brandon en les accostant, l'air aussi inoffensif que possible. Sauriez-vous où se trouve le dortoir d'Elizabeth Jacob ?

Les filles, toutes deux grandes, minces et blondes, échangèrent un regard. Celle qui portait un bandeau en velours bleu marine dans les cheveux prit la parole, avec un accent nasal de Long Island.

— Elles sont pour elles ? demanda-t-elle en jetant un coup d'œil aux fleurs.

— Son poisson rouge est mort ou quoi ? demanda l'autre.

Son front au bronzage artificiel se plissa de perplexité.

Brandon n'en revenait pas. On n'avait donc aucun savoir-vivre dans cet endroit ?

— Euh, oui, en fait. C'est pour elle.

Il haussa les sourcils, dans le but de rappeler aux filles sa question initiale.

— Mais, hum, non... Je crois que son poisson rouge va bien.

— C'est vraiment adorable de ta part, dit la fille au bandeau en velours en réprimant un gloussement. Elle est dans mon dortoir. Emerson.

Elle lui indiqua un bâtiment en pierre blanche à côté d'un bosquet de bouleaux aux feuilles jaune tournesol.

— Chambre 101. Rez-de-chaussée gauche.

— Merci.

Brandon prit cette direction, soulagé que tout fonctionne correctement. Par-dessus son épaule, il entendit la seconde fille lui lancer :

— Bonne chance !

Il suivit l'allée, trouvant toujours étrange de se retrouver dans cet endroit qui ressemblait à Waverly, avait l'odeur de Waverly, mais ne l'était pas. Il s'arrêta une seconde devant la porte principale du bâtiment pour lire la citation, vraisemblablement d'Emerson, inscrite au fronton : N'ALLEZ PAS OÙ LE CHEMIN PEUT MENER. ALLEZ LÀ OÙ IL N'Y A PAS DE CHEMIN ET LAISSEZ UNE TRACE. Il ne put s'empêcher de sourire en poussant la lourde porte verte. La citation lui rappelait Elizabeth et sa façon de faire exactement ce dont elle avait envie.

Devant la porte 101, il prit un instant pour se ressaisir, se passa nerveusement la main dans les cheveux. Tout à coup, au moment où il allait frapper, il entendit des rires provenant de l'intérieur – les rires de deux personnes. Un ressemblait à celui d'Elizabeth, mais l'autre était sans conteste celui d'un garçon. Que se passait-il ? La panique se propagea dans ses veines, et son instinct lui dicta de se barrer vite fait. Il baissa les yeux, stupidement, vers son bouquet.

Puis il se dit : *Et alors ?* Il venait de dépenser quarante dollars pour les orchidées, vingt pour le taxi. Allait-il vraiment faire demi-tour et s'en aller ? Le même chauffeur de taxi reviendrait les chercher, lui et son bouquet pathétique ? Walsh agirait-il ainsi ? Sûrement pas. *Allez, ne te dégonfle pas et frappe à la porte, Buchanan*, se dit-il avec un hochement de tête. Il osa donc lever la main et donner un coup sur la porte en chêne foncée, juste sous l'autocollant Greenpeace.

Elle s'ouvrit très vite et Elizabeth, qui semblait au milieu d'un éclat de rire, apparut. Elle portait un jean taille basse qui lui tombait sur les hanches et un tee-shirt court gris qui révélait un diamant dans son nombril. Avant que Brandon ait le temps d'admirer correctement ce piercing, le visage d'Elizabeth passa de la surprise au ravissement et elle se jeta à son cou, écrasant à moitié les fleurs.

— Brandon ! s'écria-t-elle avant de lui rouler une énorme pelle bien mouillée.

Ah, voilà un accueil digne de ce nom. Lorsqu'elle s'écarta enfin, Brandon avait un peu la tête qui tournait. Pourquoi avait-il attendu aussi longtemps pour venir la voir ?

Puis il remarqua le type assis sur son lit.

Elizabeth entraîna Brandon à l'intérieur, une chambre individuelle, étonnamment spacieuse.

— Entre ! dit-elle d'un air ravi, ses cheveux blonds lâchés lui frôlant les épaules. Ça me fait super plaisir de te voir.

Elle parut tout à coup se souvenir de l'autre garçon.

— Oh. Je te présente Morgan. On étudiait.

Elizabeth adressa un regard éloquent à Morgan, qui s'empressa de se lever. Il portait un tee-shirt en flanelle et un pantalon de velours troué aux genoux, sans chaussures. Ni chaussettes. Mais il salua poliment Brandon de la tête et ne parut pas trop ennuyé d'être mis à la porte.

— À plus, dit-il, en s'adressant à eux deux, avant de disparaître.

Qu'avait-il fait de ses chaussures ? se demanda Brandon en fixant le tapis bleu roi. Et où se trouvaient les, euh, livres ? Qu'étudiaient-ils exactement ?

Mais avant qu'il puisse y réfléchir plus longtemps, Elizabeth apparut à son côté.

— Elles sont superbes, roucoula-t-elle, en fermant les yeux pour humer le parfum des orchidées. On dirait de la poésie.

Brandon se sentit rougir.

— Content qu'elles te plaisent. Les roses me paraissaient un peu trop classiques.

Il la regarda sortir le bouquet de son emballage et le placer délicatement dans le bidon isotherme rempli d'eau qui était posé à côté de son ordinateur. Disons que c'était une façon de faire les choses.

— Tu me connais déjà, non ?

Elle lui adressa un regard lourd de sens et reposa la bouteille sur son bureau étonnamment bien rangé. Elle se précipita à nouveau entre les bras de Brandon et pressa ses lèvres douces sur sa joue en lui murmurant « merci » d'une voix suave.

Brandon ferma les paupières un instant, puis les rouvrit.

— J'aime bien ta chambre.

Ses yeux parcoururent l'espace haut de plafond. Tout ici lui paraissait sexy et dans l'esprit d'Elizabeth : des lignes pures de l'Imac sur son bureau aux piles désordonnées de recueils de poésie pleins de Post-It sur sa table de chevet et à la tapisserie bleu marine et turquoise aux murs. Sur le tableau d'affichage étaient punaisées de multiples photos d'Elizabeth dans le monde entier, avec son sac à dos en Europe, en safari en Afrique et même sur la Grande Muraille de Chine. Et il ne put s'empêcher de remarquer la quantité de photos d'elle en train de faire la fête avec des copains – des garçons, pour la plupart. Elle avait l'air d'avoir beaucoup d'amis de sexe masculin.

Elle posa ses paumes sur la poitrine de Brandon et, un sourire malicieux sur son joli visage, le poussa sur la couette toute douce, sur son lit.

— C'est vraiment adorable d'être venu jusqu'ici.

Allongée à côté de lui, elle commença à lui caresser le torse.

— Je n'ai pas arrêté de penser à toi, toute la semaine, lui murmura-t-elle.

Ses cheveux blonds étaient retenus par des barrettes en plastique bleu, du genre que portent les petites filles et ses yeux marron avaient une étincelle amusée.

— Ah oui ?

Brandon ne pouvait s'empêcher de penser que peut-être, cet autre type – comment s'appelait-il déjà ? Morgan ? C'était quoi ce nom de fille, de toute façon ? – ne comptait pas tellement. Après tout, Elizabeth avait embrassé Brandon devant lui, ce qui signifiait qu'elle ne s'inquiétait pas trop de sa réaction. Et maintenant, tandis qu'elle lui mordillait l'oreille, elle ne pensait clairement pas à ce Morgan. Alors il n'y avait aucune raison de s'en faire, si ? *Claiiir.*

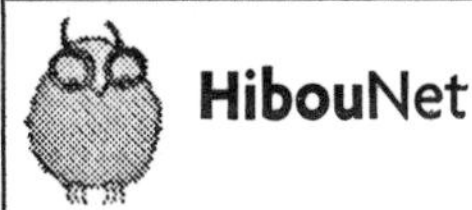

Messages instantanés
Boîte de réception

TinsleyCarmichael :	Hé, beau gosse. Tu fais quoi ?
JulianMcCafferty :	Je vais à l'entraînement de squash. Et toi ?
TinsleyCarmichael :	J'ai décidé d'être une vilaine fille et de manquer le tennis. Je regagne ma chambre vide de Dumbarton... Si tu vois ce que je veux dire.
JulianMcCafferty :	Tu as toujours mon briquet ?
TinsleyCarmichael :	Hein, quoi ?
JulianMcCafferty :	Laisse tomber.
TinsleyCarmichael :	Viens me retrouver. Je te ferai oublier ton briquet. Et dépêche-toi. J'ai pensé à toi toute la journée...
JulianMcCafferty :	Je suis là dans 30 secondes.

16

UN HIBOU DE WAVERLY SAIT QUE LE MEILLEUR MOYEN D'OUBLIER UNE PERSONNE EST DE PENSER À UNE AUTRE.

— Alors, plutôt Justin Timberlake ou John Mayer ? demanda Jenny un peu timidement.

Callie et elle regagnaient leur dortoir après l'entraînement de hockey sur gazon dans la lumière du soir, une brise fraîche ébouriffant leur queue-de-cheval trempée de sueur et faisant virevolter autour d'elles des feuilles de toutes les couleurs. Jenny avait les jambes agréablement fatiguées par l'exercice – Smail les avait faites courir aujourd'hui, pour les préparer au match du week-end prochain contre St Lucius, dont l'équipe de hockey était la grande rivale de Waverly dans le championnat. Après environ dix minutes d'échauffement, Jenny et la plupart des filles s'étaient débarrassées de leur sweat-shirt et pantalon Adidas, en dépit d'une température vraiment basse. Maintenant que le rythme cardiaque de Jenny était revenu à la normale et que le petit vent avait rafraîchi sa peau, c'était agréable. Beth avait manqué l'entraînement, mais bizarrement, Jenny ne se sentait pas du tout mal à l'aise de rentrer seule avec Callie. Elle avait l'impression qu'elles avaient vraiment appris à mieux se connaître cette semaine, et ce n'était pas seulement dû aux questions idiotes que Jenny lui posait. (Coca ou Pepsi ? Pepsi light. Chats ou chiens ? Chats, mais uniquement les noirs. Kirsten Dunst ou Scarlett Johannson ? Kirsten, mais avec la voix de Scarlett.)

— Alors ? la relança Jenny. Justin Timberlake ou John Mayer ?

Callie, qui avait gardé son bas de survêtement maculé de taches d'herbe, son sweat-shirt vaguement noué autour de sa taille fine, fit tourner sa crosse de hockey dans sa main et s'étrangla de rire.

— Tu veux parler musique ou savoir avec lequel des deux je voudrais sortir ?

Jenny laissa couler les dernières gouttes d'eau de sa thermos orange dans sa gorge.

— Avec lequel tu préfererais sortir, clarifia-t-elle.

— Y'a pas photo, dit Callie en envoyant ricocher un galet sur la pelouse avec sa crosse. Je suis sûre que Justin Timberlake saurait exactement comment m'embrasser. Mmmm.

Deux mois plus tôt, Jenny aurait été mortifiée à l'idée de traverser un campus plein de garçons mignons, bien habillés, intelligents et de filles parfaites, proprettes, jolies, vêtue d'un tee-shirt taché d'herbe et d'un short de sport. Mais aujourd'hui, elle s'en fichait complètement. Ça n'avait pas d'importance. Ainsi allait la vie au pensionnat : saine, naturelle et parfois pleine de sueur. Elle adorait ça.

— C'est vrai ?

L'estomac de Jenny se mit à gargouiller, lui rappelant qu'elle mourait de faim.

— Moi, je choisis tout de suite John Mayer. Je crois que ce qui me plaît…

Elle préféra s'arrêter là, car elle venait de se rendre compte qu'elle était sur le point de dire « *son genre sombre, sensible, artiste.* » Autrement dit, le style Elias. Ce n'était pas tellement qu'elle ne pouvait plus le mentionner – elles avaient déjà discuté de lui des tas de fois – mais elle n'avait pas envie de gâcher l'ambiance en le remettant sur le tapis. Jenny se pencha pour renouer son lacet, comme si c'était la raison pour laquelle elle avait laissé la fin de sa phrase en suspens.

Callie hocha la tête d'un air absent en montant les escaliers qui menaient au dortoir.

— Je rentre, d'accord ? Je dois prendre une douche vite fait avant d'aller, euh, à la bibliothèque.

— OK, répondit Jenny d'un air tout aussi lointain.

Elle venait de remarquer quelqu'un derrière un des arbustes vert émeraude soigneusement taillés qui bordaient le mur de Dumbarton. C'était Julian. Encore en train de traîner près du dortoir des filles. Jenny salua Callie de la main et se dirigea vers les buissons. Bien qu'elle considérât le fait d'être en sueur comme un principe sain et naturel de la vie au pensionnat, elle ôta rapidement l'élastique de ses cheveux et secoua ses boucles brunes pour les faire retomber sur ses épaules – c'était quand même un peu mieux comme ça.

Julian se tenait là, les mains dans les poches, adossé au mur couvert de lierre, l'air un peu énervé. Il portait un tee-shirt vert pâle sur lequel ou lisait CE N'EST PAS CE QUE VOUS CROYEZ, écrit en jaune dans une police un peu rétro, sous une veste de survêtement bleu roi, avec des rayures blanches sur les manches, qu'il laissait ouverte.

— Holà ! dit Jenny en brandissant sa crosse de hockey comme une épée, le bout pointé vers le slogan affiché sur le torse de Julian.

Ils venaient de finir d'étudier *Hamlet* avec Melle Rose, et elle était encore d'humeur shakespearienne.

— Qui va là ? ajouta-t-elle.

Il haussa les sourcils et adopta une voix à la Humphrey Bogart.

— Il faut qu'on arrête de se croiser comme ça.

— Dis donc, je vis ici, moi, sourit Jenny en baissant sa crosse.

Elle jeta un coup d'œil autour d'eux, mais personne n'approchait. D'abord, elle avait discuté avec Julian dans un placard à balais, maintenant derrière un buisson. C'était plutôt marrant – où allait-il surgir la prochaine fois ? Et que faisait-il là ?

— Quelle est ton excuse ? Encore à la recherche de ton... C'était quoi déjà ? De ton briquet ?

— T'es marrante, toi.

Il haussa les épaules, et un rayon de soleil couchant traversa l'arbuste élégamment taillé derrière lequel il se tenait, et éclaira sa figure.

— Mais, non, je passais dans le coin, c'est tout.

La lumière, splendide, accentuait les traits de son visage et Jenny remarqua pour la première fois ses pommettes saillantes, ses yeux sombres très enfoncés et son nez légèrement de travers. Le genre de visage qui méritait d'être sculpté dans du marbre, pensa-t-elle. Il lui fallut un moment avant de se rendre compte que c'était à son tour de parler – oubliées, les belles reparties shakespeariennes.

— Euh, pardon, où avais-je la tête ? demanda-t-elle, en espérant que son visage avait pris une jolie teinte « joues roses » et non pas un rouge vif qui pourrait vouloir dire « Tu ne serais pas en train de faire une attaque ? ».

Julian sourit mais sembla un peu désarçonné, comme s'il avait perdu le fil de la conversation.

— Hein, quoi ? demanda-t-il en se penchant vers elle.

— Ton tee-shirt, dit-elle en le désignant et en haussant les sourcils. Tu as dû avoir ce genre de réactions toute la journée.

Julian baissa les yeux vers sa poitrine et son visage s'éclaira.

— En fait, j'avais mon tee-shirt Sea World aujourd'hui.

Il pencha la tête sur le côté, haussa les épaules.

— Je viens juste de me changer.

La fossette près de ses lèvres se creusa.

Jenny ne put retenir un gloussement. Julian avait quelque chose de si sympathique et ouvert – c'était agréable de flirter avec lui. Ça lui ôtait de l'esprit d'autres grands et beaux garçons.

— Je sais que ça va te paraître complètement dingue, mais est-ce que tu accepterais de poser pour moi ? proposa-t-elle soudain. Je dois faire un portrait d'homme pour le cours d'art.

Elle espérait vraiment qu'il n'en conclurait pas qu'elle le draguait – parce que ce n'était pas le cas. Enfin pas vraiment.

— Tu ferais un très bon modèle, ajouta-t-elle.

Il parut complètement décontenancé, jeta un coup d'œil autour de lui. Aïe ! Pourvu qu'il ne se méprenne pas.

— Euh, là, maintenant ? Derrière les buissons ?

— Mais non !

Jenny repoussa une mèche rebelle derrière son oreille. Elle n'arrivait pas à croire qu'elle discutait avec un mec aussi mignon alors qu'elle avait désespérément besoin d'une douche. Avec un peu de chance, il ne la sentait pas de là où il se trouvait.

— Pas tout de suite ! Demain, peut-être ? lui suggèra-t-elle.

— Je ne pense pas avoir déjà été considéré comme une œuvre d'art par le passé, répondit-il en jouant avec une branche de l'arbuste près duquel il se tenait. Ça a l'air cool.

— Super, rétorqua-t-elle en donnant un petit coup de crosse sur le mur de brique. Je te proposerai une heure de rendez-vous par e-mail…

Elle lui lança un sourire malin.

— … Enfin, si je ne te croise pas dans le placard à balais d'ici là.

Elle pénétra dans le bâtiment suivie de l'éclat de rire de Julian. En grimpant les marches qui la menaient à la chambre 303, elle se dit qu'il y avait bel et bien d'autres mecs mignons sur ce campus pour lui faire oublier Elias. Callie aussi pourrait peut-être trouver quelqu'un pour chasser de son esprit l'inoubliable Elias Walsh. Tout se passait enfin comme cela devait se passer.

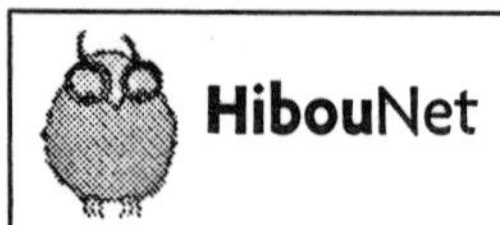

Messages instantanés
Boîte de réception

TinsleyCarmichael : Ça fait plus de 30 secondes.
TinsleyCarmichael : Tu viens ou pas ?
TinsleyCarmichael : Julian ?

17

UN HIBOU DE WAVERLY SAIT APPRÉCIER MÈRE NATURE – SURTOUT EN COMPAGNIE D'UN AUTRE HIBOU.

Mais qu'est-ce que je fais ? Qu'est-ce que je fais ? Callie s'arrêta au bord du chemin menant à l'abri à bateaux, à l'endroit même où Elias lui avait dit de bifurquer. Le ciel commençait à prendre des teintes orangées. Son estomac gargouillait un peu, lui rappelant qu'elle était en train de sauter le dîner. Mais elle était trop nerveuse pour avaler quoi que ce soit, de toute façon. Après l'entraînement, elle avait foncé sous la douche pour effacer toute trace de sueur et de crasse, puis elle s'était habillée soigneusement. Elle n'avait aucune idée de ce qu'elle devait porter pour une séance de pose dans les bois en compagnie de son ex-petit ami, et, après avoir tergiversé pendant vingt minutes, elle s'était enfin décidée à enfiler quelque chose. Elias lui avait demandé s'il pouvait la peindre, après tout, il devait s'attendre à ce qu'elle arrive telle qu'elle était d'habitude. Si ça signifiait qu'elle devait porter des vêtements chers et légèrement inappropriés, qu'il en soit ainsi.

Elle avait donc revêtu son pantalon noir moulant Theory, des bottes à bouts pointus et talons hauts et un pull noir à col rond suffisamment peu décolleté pour ne pas faire déplacé. Ses cheveux encore humides bouclaient légèrement et accentuaient la sensation de froid qu'elle ressentait. Elle remonta la fermeture Éclair de sa doudoune rouge jusqu'au menton, la doublure en lapin vint lui chatouiller le nez. Puis elle quitta le chemin, les talons de ses bottes s'enfonçant légèrement dans la mousse qui recouvrait le sous-bois. Elle se rappela son pacte avec Jenny, à qui elle venait tout juste de mentir en prétendant devoir se rendre à la bibliothèque. Elle n'irait pas au-delà d'une relation amicale avec Elias. D'ailleurs, pour cette raison, elle avait volontairement omis de se raser les jambes sous la douche – avec du poil aux jambes, elle pouvait difficilement se sentir très sexy et elle avait jugé que ce serait peut-être préférable pour passer du temps avec Elias dans les bois, en tout bien tout honneur.

Callie se fraya un chemin dans la forêt, franchissant avec précaution les branchages, appréciant le craquement des feuilles mortes sous ses pieds. Elle prit une grande bouffée d'air frais en regrettant de ne pas aimer plus la nature – ça pouvait être plutôt sympa, tant qu'on n'était pas forcé de porter d'affreuses chaussures de randonnée, ni ces ignobles déodorants cent pour cent naturels. Elle arriva à la petite clairière dont elle avait deviné que c'était l'endroit secret d'Elias, et effectivement, il était là, accroupi devant un tas de tubes de peinture dispersés dans l'herbe. Pendant un instant, elle le regarda, embrassant la scène. Il semblait tellement à l'aise… Et même de là où elle se trouvait, elle discernait dans ses mouvements un bonheur tranquille dont elle n'était témoin que lorsqu'il se trouvait avec Credo.

Il leva les yeux, et lorsqu'il la vit, un grand sourire fendit son visage.

— Salut dit-il en se relevant et en s'essuyant les mains sur son jean foncé déjà poussiéreux. Alors qu'est-ce que tu en dis ?

Il écarta les bras pour lui montrer la clairière.

Callie approcha tout doucement, consciente que la simple vision d'Elias bras écartés réussissait à faire renaître ses vieux sentiments pour lui. Merde. Cela s'annonçait plus dur qu'elle ne le pensait, même avec son poil aux jambes.

— C'est joli, commenta-t-elle poliment. Où sont les fleurs ?

— Eh bien, on est quand même en octobre.

— Et alors, il n'y a pas de fleurs en automne ? C'est idiot, déclara-t-elle avec humeur, se sentant déjà adopter l'attitude d'ironie permanente qui avait toujours tant plu à Elias – elle ne le faisait pas exprès, c'était juste… *naturel*.

Elias rit. Ses yeux bleu foncé se plissèrent ; Callie vit à son expression qu'il avait envie de l'embrasser, comme il l'avait fait un million de fois – et cela lui brisa le cœur. Oui, elle avait espéré de tout son être qu'il se rendrait compte de sa bêtise et reviendrait se jeter à ses pieds en la suppliant de le pardonner. Il lui manquait. Son rire grave, qui montait du ventre, sa façon de hausser légèrement un sourcil lorsqu'il pensait qu'elle se fichait de lui… Tout lui manquait.

— Peu importe. Les feuilles font une assez jolie toile de fond, surtout au coucher du soleil, dit-il.

Callie sentit le regard d'Elias sur elle. Observait-il tous ses modèles de la même façon ? Quelques semaines auparavant, Tinsley avait insinué qu'Elias venait à cet endroit même en compagnie de Jenny. Cela lui fit mal. Il était hors de question qu'il la fasse souffrir de nouveau, pas comme ça. Callie secoua la tête dédaigneusement.

— Alors que veux-tu que je fasse ? Que je me mette devant les feuilles ?

Elias se gratta la nuque et plissa les yeux en se concentrant avec intensité sur son visage. Callie sentit son estomac se nouer mais essaya de ne rien laisser paraître de ses sentiments.

— Je voudrais faire quelques croquis d'abord, pour avoir des idées.

Il saisit un énorme carnet à dessin et tira un bout de crayon de derrière son oreille.

— Tu peux juste t'asseoir sur le rocher ?

Callie y jeta un coup d'œil. Elle avait imaginé que poser signifierait s'étendre sur une luxueuse chaise longue en velours, simplement vêtue d'un peignoir de soie négligemment jeté sur elle. Un peu genre *Titanic*, avec le cœur de l'océan autour du cou. Et pas juchée sur un rocher sale et inconfortable en plein mois d'octobre, alors qu'il faisait un froid de canard et qu'elle était obligée de garder sa grosse doudoune avec capuche en fourrure. Si Elias avait envie de peindre un Esquimau, il n'avait qu'à emprunter un livre à la bibliothèque. Enfin... C'était lui l'artiste, après tout. Elle s'installa sur le rocher, coinçant ses talons sur une petite saillie.

— Ça va comme ça ?

— Ça a l'air de t'agacer de devoir t'asseoir sur une pierre, dit Elias avec un sourire entendu. Ou de devoir te montrer aussi proche de la nature.

Elle savait qu'Elias trouvait toujours excitant son genre « princesse en sucre ».

— Bien.

Elle se pencha et serra le rocher dans ses bras.

— Oh, rocher, je t'aime tellement, je suis tellement ravie d'être assise sur toi alors que tu es sale, froid et inconfortable.

Elle essaya de prendre son air le plus enamouré et couvrit la pierre de baisers. Du coin de l'œil, elle vit Elias, qui se tordait de rire.

Callie se prit au jeu et se lança dans une série de poses exagérées autour du rocher, puis elle se releva et se précipita sur les bouleaux.

— Oh, arbres ! Oh nature ! dit-elle d'une voix grave en entourant de ses bras un rachitique bouleau blanc avant de mimer un baiser passionné : elle approcha ses lèvres aussi près de l'écorce que possible, en essayant de ne pas trop penser à toutes les bêtes qui devaient vivre là.

Elle rejeta ses cheveux en arrière, telle une authentique prima donna sous le feu des projecteurs et regarda le crayon d'Elias voler sur la page.

Mais lorsqu'elle voulut s'écarter de l'arbre, elle sentit un tiraillement au niveau du cuir chevelu.

— Aïe ! s'écria-t-elle en ramenant sa main sur ses cheveux.

Des mèches étaient coincées dans une branche. Saloperie de nature.

— Ça va ?

Elias était accouru dans la seconde, abandonnant son crayon et son carnet par terre.

— Ne tire pas.

Comme il tendait le bras pour essayer de démêler ses cheveux de la branche, elle sentit son odeur familière, gel douche Ivory mêlé d'effluves d'écurie. Elle leva les yeux vers lui, qui s'activait tendrement pour lui venir en aide en essayant de ne pas trop lui tirer les cheveux, et elle sentit ses yeux noisette se remplir de grosses larmes.

— Voilà, dit Elias en éloignant la branche de son crâne. Tu es libre.

Tout à coup, il vit son visage.

— Je t'ai fait mal ?

Ne pleure pas, ne pleure pas, ne pleure pas, s'intima-t-elle, ce qui ne réussit qu'à faire couler ses larmes. Elle cacha son visage dans ses mains.

— Oui, répondit-elle sincèrement.

Son cuir chevelu n'avait pas souffert, mais son cœur, si. Elle essaya de s'éloigner de lui, mais il fut trop rapide. Ses bras vigoureux l'attirèrent contre son torse avant qu'elle ne puisse protester et à l'instant où son corps entra en contact avec le sien, elle fondit en larmes dans la laine rêche de son pull. *Elias.*

Elle sentait sa joue contre ses cheveux.

— Je sais. Je suis désolé, mais je te jure que je ne te ferai plus jamais, jamais de mal, murmura-t-il en déposant un baiser sur son crâne.

Elle ne put s'empêcher de fermer les yeux.

— Je t'aime, Callie. Je t'aime vraiment.

Et avant qu'elle ait le temps de réfléchir à son geste, elle l'embrassa. D'abord sa joue, puis ses sourcils, son nez et enfin, sa bouche douce, chaude et impatiente.

18

UN HIBOU DE WAVERLY GARDE LA BOUCHE COUSUE. OU PAS.

Beth jeta un coup d'œil à ses exercices de math, incapable de focaliser son attention sur les alignements de chiffres et de lettres. Elle était venue dans la chambre de Kara pour travailler, mais pour l'instant, elle n'avait pas réussi à se concentrer. Elle mordilla l'extrémité de son crayon.

— Tu as quoi pour le numéro 12 ? C'est $n^2 + n$, c'est ça ? demanda Kara depuis son fauteuil rouge, son cahier d'algèbre en équilibre sur ses cuisses.

Elle appuya le bout en gomme de son crayon noir contre son front, juste entre ses yeux.

— Parce que sinon, je vais illico chez Docteur Goldstein avec mon cahier, et j'y mets le feu dans son jardin, juste à côté de ses affreux nains.

Docteur Goldstein vivait dans l'un des petits pavillons en bois blanc aux abords du campus et son gazon était parsemé de nains de jardin de toutes les couleurs qui auraient sûrement fini entre les mains d'élèves dépités s'ils n'avaient été farouchement surveillés par Spike, un rottweiler toujours bavant et grognant.

— Heureusement que ton résultat est juste, parce qu'on raconte que Spike peut sentir le sang d'élève emmerdants à cent mètres, pouffa Beth. Un chien dévoreur d'êtres humains et des nains de jardin – c'est quoi ça franchement ?

Kara se pencha vers son amie, referma son gros cahier d'un claquement sec et raconta, sur le ton de la confidence :

— Tu ne sais pas qu'il y a deux ans, elle est sortie avec un petit génie, diplômé de Caltech, venu réaliser un entretien avec elle pour sa thèse ?

Les yeux de Kara s'écarquillèrent, elle fit tambouriner ses doigts aux ongles rongés sur son cahier.

— Apparemment, il vit en ville, maintenant, mais il vient tous les week-ends pour, enfin tu vois, quoi, *un entretien.*

Beth s'étrangla. Les chemisiers du Docteur Goldstein étaient toujours boutonnés de travers et elle portait des chaussettes dépareillées. Beth avait vu dans cette distraction un signe de son intelligence supérieure – mais la raison était peut-être qu'elle se couchait tard la veille, après avoir pris son pied avec son jeune étudiant sexy ?

— Attends, elle doit avoir au moins mille ans, non ? Jamais je n'aurais deviné qu'elle pouvait... enfin tu vois... s'envoyer en l'air passionnément tous les week-ends.

Kara lança son crayon à travers la pièce, en visant les genoux de Beth.

— Que la force soit avec elle !

— Peu importe, je suis sortie avec des mecs plus jeunes, des mecs plus vieux, ils appartiennent tous à la catégorie des cons, conclut Beth.

Elle prit le crayon jaune de Kara et l'examina. Pas de marques de dents au bout. Les siens étaient tout mâchonnés, bien qu'elle sût que c'était une mauvaise habitude. Quelqu'un lui avait même dit – sûrement Heath – que mordiller ses crayons était un signe de frustration sexuelle.

— Ça me paraît trop pessimiste, commenta Kara avec mélancolie, en laissant tomber son cahier sur le sol et en se levant pour s'étirer. Je suis sûre qu'il y a des types bien, quelque part, au moins un ou deux.

Son tee-shirt gris American Apparel révéla une fine bande de peau pâle au-dessus de son pantalon d'intérieur noir.

— Mais bien sûr... lâcha Beth

Elle passa sa main sur la housse de couette rouge et bleue Batgirl pour en effacer les plis, alors qu'elle était vautrée dessus depuis une heure. Ah, comme la vie serait plus facile si elle avait une chambre individuelle. Elle ne serait plus forcée de contourner cette cinglée de Tinsley sur la pointe des pieds, de s'inquiéter de sa prochaine crise. Et la chambre de Kara était tellement... *agréable*. Elle était propre, bien rangée, il y planait un parfum de livres neufs et d'encens. Elle avait même une plante verte suspendue à sa tringle à rideau.

— ... Sauf qu'ils vivent en Mongolie extérieure, quelque chose comme ça, reprit Beth.

Kara augmenta le volume de la stéréo, qui passait le dernier CD d'Aimee Mann. Elle esquissa quelques pas de danse sur le parquet, de façon un peu ridicule, mais tout à fait à l'aise. Beth lui enviait ça.

— En plus, ils n'ont même pas Internet, je te parie ? renchérit Kara.

Beth sourit en regardant Kara tournoyer dans sa chambre. Jusqu'au week-end précédent, elle avait passé la majeure partie de son temps seule – mais après la fête, elle semblait avoir été pleinement acceptée par l'élite de Waverly. Beth avait remarqué qu'Alison Quentin et Sybille Francis avaient toutes les deux porté des vêtements provenant du placard de Kara cette semaine ; Heath et d'autres mecs avaient été vus en sa compagnie à plusieurs reprises. Pourtant, elle continuait à s'asseoir avec Yvonne Stidder et d'autres personnes esseulées pour dîner. Ce que Beth jugeait incroyablement cool.

— Tu veux dire que tu refuserais de sortir avec quelqu'un qui vivrait en Mongolie extérieure et n'aurait pas Internet ? la taquina Beth. C'est de la discrimination.

Kara hocha la tête avec un sourire coquin.

— C'est clair – si on ne peut même pas tenter le cybersexe, c'est pas la peine !

Beth éclata de rire. C'était bon de pouvoir oublier Jeremiah et ses mensonges, M. Dalton et ses autres mensonges. C'était merveilleux de pouvoir oublier les mecs.

— Mesdemoiselles ?

On frappa un coup sec à la porte et Angelica Pardee, son peignoir à fleurs délavé noué à la taille, jeta un regard réprobateur dans la chambre.

— Il est tard. Il est temps de se coucher.

— Désolée, Mme Pardee, répondit poliment Kara en baissant très vite le volume de la stéréo. Il nous reste juste quelques problèmes de maths à finir.

Pardee resserra sa ceinture autour de sa taille et renifla d'un air contrarié, mais, ne voyant dans la chambre aucune des bougies interdites par le règlement, elle parut satisfaite.

— Pas longtemps, alors.

Beth se leva pour refermer derrière elle. Après la patrouille de Pardee, le couloir devint très vite silencieux, et Beth se rendit soudain compte que Kara et elle étaient totalement seules.

— Bon, et ce dernier exercice ? dit-elle.

Elle regagna le lit de Kara et se posa au bord, le cœur battant la chamade. C'était la faute de Heath, qui lui avait mis cette idée dans la tête cet après-midi, elle ne pouvait plus s'empêcher, d'y penser – à ce minuscule baiser que Kara et elle avaient échangé.

Kara ramassa son cahier de maths et s'assit sur le lit. La chaîne était toujours allumée, mais en sourdine, et il n'y avait plus aucun bruit dans le couloir. C'était un peu comme si Kara et elle étaient les seules personnes – ou du moins les seules personnes normales – encore debout à cette heure. Kara se pencha et posa un doigt sur le cahier de Beth.

— Je crois que tu l'as, dit-elle en feuilletant le livre de maths. C'est l'addition, non ?

Beth hocha la tête, un peu sonnée.

— Ça va ? demanda Kara en écartant une mèche retombée sur son visage. Encore en train de rêvasser au Docteur Goldstein et à son gigolo ?

— Non ! rit Beth en attrapant la bouteille d'Evian sur la table de chevet de Kara. Arrête, tu vas me faire faire des cauchemars !

— Alors, à quoi pensais-tu ? demanda doucement Kara, le regard interrogateur.

Pouvait-elle lui répondre honnêtement ? Et si Kara la traitait de folle en lui ordonnant de ficher le camp de sa chambre ? Au fond elle savait Kara incapable de ça. Tout paraissait si naturel avec elle – même ce sujet ne semblait pas tabou.

— Hummm, à la réunion d'hier soir.

Kara rougit, très légèrement, comme si elle avait tout de suite compris à quoi Beth faisait référence.

— Oh...

Elle se mit à agiter le haut de la page de son cahier.

—... C'était...

Elle haussa ses frêles épaules et un petit sourire apparut sur son visage.

—... Plutôt marrant.

Beth pinça les lèvres.

— Ouais.

Un instant s'écoula, durant lequel elles se regardèrent. Beth remarqua une toute petite tache de rousseur juste sous les lèvres roses de Kara. Tout à coup, elle se pencha par-dessus les pages noircies d'exercices de maths et de gribouillis et pressa sa bouche contre celle de Kara. Leurs lèvres se rencontrèrent doucement et Beth ferma les paupières, laissant sa bouche bouger imperceptiblement contre celle de son amie. Ce n'était pas les baisers dévorants et dégoulinants de Jeremiah. La bouche de Kara était petite et mignonne, et bizarrement, c'était un peu comme… s'embrasser elle-même.

C'était agréable.

19

UN HIBOU DE WAVERLY PEUT SE CONFIER À SA COLOCATAIRE… NON ?

Le mercredi soir, après dîner, Jenny avait passé trois heures à la bibliothèque, pour préparer son premier grand devoir d'histoire européenne. Après ce moment pénible, elle était contente de retrouver sa chambre. Enfin, elle n'était plus obligée d'éviter Callie. Elles n'en étaient plus là, et c'était plutôt réjouissant. Jenny essayait de ne pas trop penser à Elias – elle espérait simplement réussir à supporter la tristesse jusqu'au jour où celle-ci se transformerait en simple nostalgie. Ce n'était pas la fin du monde, ne cessait-elle de se répéter. Et puis, ce n'était pas comme si elle n'allait plus jamais le voir. Elle pourrait peut-être faire d'autres balades à cheval avec lui ? De toute façon, ils se retrouveraient en cours de dessin, elle aurait encore l'occasion de le taquiner sur son tee-shirt « De la nourriture, pas des bombes ». C'est juste qu'elle n'aurait plus le droit de… l'embrasser.

Bref. Elle s'arrêta devant la porte de la chambre 303, et lut le message griffonné au marqueur rouge sur son tableau blanc :

Demain soir : 1.Café 2.Devoirs 3.Ragots 4.Tout ce qui précède ? Bisous, Beth. Celle-ci avait séché l'entraînement aujourd'hui. Parce qu'elle était *prefect*, il lui suffisait de faire allusion à une quelconque réunion importante pour que Smail l'autorise à s'absenter, sans lui poser la moindre question.

Jenny ouvrit la porte tout doucement, s'attendant à trouver Callie déjà au lit. Mais son visage s'éclaira lorsqu'elle constata que sa colocataire était encore debout. Vêtue d'un débardeur rose et d'un petit short très féminin roulé à la taille, Callie contemplait son placard complètement vide. La totalité de ses précieux vêtements était entassée en piles chancelantes sur le troisième lit, menaçant à tout moment de s'effondrer.

— Tu fais du rangement ? lui lança Jenny, surprise.

On aurait dit qu'une boutique chic de SoHo venait d'exploser.

— Hein ? fit Callie en regardant Jenny par-dessus son épaule, et clignant des yeux à plusieurs reprises. Oh. Ouais… Ça m'a prise comme ça, à l'instant.

Elle observa l'étalage de vêtements, comme si elle n'arrivait pas à se souvenir comment ils étaient arrivés là.

— Je crois que je n'avais pas vraiment mesuré l'ampleur de la tâche.

— Et si tu laissais tomber pour l'instant ? suggéra maladroitement Jenny. Tu finiras demain.

Elle posa son lourd sac sur le sol et s'écroula sur son lit, contente de bientôt pouvoir se blottir sous la vieille couette de son père, qui avait gardé un peu de l'odeur de leur appartement à l'angle de la 99ᵉ Rue et de West End Avenue.

Callie se mordit la lèvre et se mit à tripoter la manche transparente d'une blouse en mousseline située sur l'une des piles à l'équilibre instable.

— Mais la chambre est vraiment dans un état… répondit-elle enfin avec une petite moue.

— Moi ça ne me dérange pas, à toi de voir, dit Jenny en se hissant sur les coudes et en ôtant ses Chuck Taylor roses.

Les chaussures atterrirent sur le parquet dans un bruit sourd.

— Ce n'est pas comme si tout était super propre tout le temps, ajouta-t-elle en pouffant.

La pièce, bien que très vaste pour elles deux, semblait en permanence remplie de bouteilles de Pepsi light vides (celles de Callie) et de mini sachets de Doritos à demi entamés (ceux de Jenny), quant au bureau supplémentaire, il était constamment enfoui sous d'énormes tas de linge propre, de cahiers, de vieux devoirs et d'objets divers généralement inutiles. Une tapisserie soigneusement pliée, qui n'appartenait ni à Jenny ni à Callie, y était même apparue un jour, sans qu'on sache trop comment.

Callie attrapa ses cheveux par poignées et tira dessus. Ses bras paraissaient aussi minces que des pailles en plastique, et Jenny aurait adoré pouvoir lui faire avaler de force un cheeseburger. Si Callie était autant dans les vapes, c'était peut-être parce qu'elle était affamée ? Jenny ne savait vraiment pas quoi faire à ce propos. Fallait-il qu'elle en touche un mot à Pardee ? Tout à coup, elle se rappela les deux sucettes qu'elle avait prises au snack-bar. Elle fouilla les poches de son blazer Waverly et tendit les deux sucreries, comme gage d'amitié.

Callie rit et Jenny l'enjoignit mentalement d'en prendre une. Ce qu'elle fit. Elle approcha de Jenny et choisit timidement celle à la framboise.

— Merci.

Jenny sourit. Callie avait peut-être juste besoin de se changer les idées.

— Hé, tu sais ce mec de troisième très grand, mignon ? attaqua Jenny en déballant sa sucette à l'orange avant de la coller sur sa langue.

— Julian ? répondit Callie la bouche pleine elle aussi, ce qui donna quelque chose comme « Mumiam ».

Elle retira la sucette de sa bouche, les lèvres déjà colorées de rose.

— Eh bien quoi ?

— Je ne sais pas trop.

Jenny remonta ses pieds sur le lit et plaça son oreiller sous sa tête.

— Il… Il n'arrête pas de se pointer au dortoir. Tout à l'heure, il était dans les buissons quand on est rentrées de l'entraînement.

Elle gloussa en repensant à leur conversation.

— Et hier, il était dans le placard à balais, au rez-de-chaussée.

— Attends, il est entré dans la résidence ?

Les yeux noisette de Callie se concentrèrent sur le visage de Jenny et se mirent à briller d'excitation.

— Tu crois que… que tu lui plais ?

— Oh, non, pas du tout, répondit très vite Jenny, en piquant un fard.

Elle avait horreur qu'on suggère qu'elle plaise à quelqu'un, de plus, elle doutait que ce soit vrai.

— Je ne sais pas du tout ce qu'il fichait là. Il a inventé une excuse bidon, genre j'ai perdu quelque chose.

— Ben voyons.

Callie se précipita vers le lit de Jenny et s'y assit, elle avait tout à coup envie de jouer la confidente.

— Je te parie qu'il te cherchait, toi !

Callie se sentait tout excitée rien qu'à y penser. Ne serait-ce pas génial ? Ce dont Jenny avait besoin, c'était d'un mec mignon sorti de nulle part qui la séduise et lui fasse oublier qu'elle avait un jour connu un garçon du nom d'Elias Walsh. En plus, Julian était super canon – peut-être un peu grand pour Jenny, mais visiblement elle aimait les mecs grands. Callie donna une petite tape sur les pieds de sa colocataire.

— Non, c'est ridicule. Il n'était pas là pour ça… lâcha Jenny.

Elle avait la bouche toute orange à cause de sa sucette, ce qui fit rire Callie. On aurait dit une petite gamine, mais vraiment adorable. Et Julian était en quelle classe ? En troisième ? Il n'y avait pas plus parfait pour elle.

— … Mais c'est vrai, il y a eu entre nous un petit flirt très agréable…

Jenny s'assit, les yeux légèrement rêveurs, et se mit à tortiller une de ses boucles brunes.

— Tu le croiseras peut-être demain ?

Callie faisait de son mieux pour ne pas paraître trop empressée – elle ne voulait pas que Jenny soupçonne qu'elle avait des arrière-pensées. Une minuscule vague de culpabilité la traversa lorsqu'elle se rendit compte qu'elle était déjà en train de mentir à Jenny en omettant de lui parler d'Elias. Mais c'était pour son propre bien, non ? Jenny serait dévastée si elle apprenait que Callie et Elias étaient un peu… redevenus Elias et Callie, en fait.

Jenny se leva et ouvrit un tiroir de sa commode, d'où elle sortit un bas de pyjama bleu marine Nick and Nora qui avait l'air très confortable, le bâton blanc de la sucette sortait de sa bouche comme un genre de cigarette ultrafine. Elle jeta un regard vers Callie, un sourire malicieux aux lèvres.

— Eh bien, je lui ai demandé d'être mon modèle pour mon devoir d'art. Alors… Je vais sûrement le voir demain.

— C'est génial ! s'exclama Callie.

Elle n'avait pu s'en empêcher – elle bondit hors du lit et vint serrer Jenny dans ses bras. *S'il vous plaît, s'il vous plaît, s'il vous plaît, faites que Jenny et Julian tombent follement amoureux !*

— Il va se passer quelque chose entre vous, c'est sûr ! Je le sens !

Elle espérait seulement que ça arriverait *vite*.

Boîte de réception

De : JennyHumphrey@waverly.edu
À : RufusHumphrey@poetsonline.com
Date : mercredi 9 octobre, 21 : 29
Sujet : Joyeux mercredi !

Salut papa,
J'espère que tu ne m'as pas trouvée trop bizarre au téléphone l'autre jour – je crois que j'étais juste un peu crevée, je sortais d'un cours de latin vraiment atroce. (Mais tu devrais m'entendre réciter Cicéron maintenant – j'ai fait des super progrès en un mois !)
Tout se passe très bien. Comme toujours, j'adore les cours de dessin. Je n'arrive pas à croire que je suis douée dans cette matière. J'ai un devoir à rendre, j'espère m'y mettre dès demain avec l'aide d'un garçon très mignon qui va poser pour moi. (J'adore l'école !)
On lit *Le Phare* de Virginia Woolf en cours d'anglais. Papa, je n'arrive pas à croire que tu m'aies laissée vivre sur cette planète pendant quinze ans sans lire ça. Comment as-tu pu ? :-)
Tu me manques. Mange une pâtisserie chez Bernard en pensant à moi (si ce n'est pas déjà fait) !

Bisous
Ta fille préférée, Jenny

HibouNet Boîte de réception

De : JennyHumphrey@waverly.edu
À : JulianMcCafferty@waverly.edu
Date : Mercredi 9 octobre, 21 : 45
Objet : Sois un citoyen modèle...

... ou au moins un Hibou modèle. Si tu es toujours d'accord pour participer à mon devoir d'art, peux-tu me retrouver demain dans l'atelier d'arts plastiques ? Vers 18 h 30 ou 18 h 45 ?
Tiens-moi au courant. J'ai hâte de voir quel tee-shirt tu porteras cette fois.

Jenny ;-)

20

UN HIBOU DE WAVERLY SE MONTRE TOUJOURS BON JOUEUR – SURTOUT LORSQU'IL A TRICHÉ.

Jeudi matin, Tinsley entra dans le bureau de Marymount, dans le bâtiment de Stansfield Hall. C'était une immense pièce au premier étage dotée de baies vitrées avec une vue panoramique sur tout le campus, donc, en ce début d'octobre, sur les couleurs flamboyantes du feuillage d'automne. Tandis qu'elle traversait le parquet en acajou foncé et l'élégant tapis turc usé jusqu'à la corde avec ses bottes en cuir brun lacées Sheart Weitzman, Marymount quitta son bureau incroyablement ordonné. Il n'était pas vide – il était rangé de façon parfaitement géométrique. Un grand calendrier était étalé au milieu, rempli de rendez-vous soigneusement notés. De minuscules tasses pleines de stylos, des coupelles remplies de trombones, un rouleau de ruban adhésif et une agrafeuse étaient alignés en formation militaire, prêts à l'attaque. Même le cadre en argent, dans lequel figurait la photo de famille du directeur, était judicieusement placé vers son fauteuil de façon à ce que ses hôtes aient tout le loisir d'apercevoir sa blonde et angélique épouse aux côtés de ses enfants. *Intéressant.* Sa femme était carrément plus jolie qu'Angelica Pardee. Tinsley lui serra la main.

— Mademoiselle Carmichael, dit-il d'un ton plaisant, quoiqu'un peu expéditif. Que puis-je faire pour vous aujourd'hui ?

Tinsley remarqua qu'il portait une cravate à motif fleuri, un champ de tulipes roses et rouges. Son secrétaire à la calvitie précoce, M. Topkins, en portait une avec des marguerites jaunes. Bizarre. Tinsley s'enfonça dans un fauteuil et croisa les jambes, tirant bien sagement sur l'ourlet de sa robe chemise vert kaki pour dissimuler ses genoux.

— J'ai demandé à Mme Feingold de la bibliothèque municipale de Rhinecliff si je pouvais emprunter leur copie de *New York-Miami* pour une projection dans le cadre du club Septième Art.

Jusque-là, tout était vrai – elle avait passé une heure à écouter la vieille dame lui rebattre les oreilles sur « l'élégance » de Clark Gable et sur toutes les femmes de son époque qui se « pâmaient » pour lui.

— Ah ! s'exclama Marymount en se carrant dans son fauteuil et en tapant ses doigts sur ses tempes. Excellent film. Cette Claudette Colbert – quel charme.

Tinsley acquiesça avec enthousiasme.

— Exactement. Pendant notre discussion, Mme Feingold a mentionné que la bibliothèque organisait parfois des projections en plein air, qu'ils avaient tout l'équipement nécessaire et qu'ils seraient d'accord pour le prêter à Septième Art.

Le visage de Marymount s'assombrissait notablement à chacun de ses mots, de façon presque comique, comme s'il venait soudain de mordre dans un citron.

Tinsley poursuivit néanmoins.

— Donc… J'espérais obtenir la permission d'organiser un événement exceptionnel du ciné-club en dehors du campus. Mme Feingold a également proposé qu'on utilise sa propre grange en ville, elle dit que le mur latéral est idéal pour les projections.

Cette dernière partie était un mensonge franchement monumental – la pauvre Mme Feingold se serait sûrement évanouie si elle avait su qu'elle était impliquée dans cette farce, mais Tinsley pouvait difficilement expliquer à Marymount que la grange appartenait au négociant en vins et spiritueux.

Le directeur secoua la tête avec lenteur et résolution.

— Je regrette, mais il est totalement hors de question de vous accorder la permission d'organiser un évènement pareil.

Il passa la main dans ses cheveux clairsemés et ternes, toussa.

— Rien que les ramifications légales…

Il secouait la tête plus rapidement maintenant, comme s'il s'agissait d'une idée si prodigieusement idiote qu'il ne parvenait pas à croire que Tinsley ait pu venir la lui soumettre.

— … Mais surtout à la lumière de tous les ennuis que nous avons eus ici ces dernières semaines.

Il la regarda avec sérieux par-dessus la monture de ses lunettes.

— C'est tout simplement impossible, conclut-il.

— Je comprends vos réserves, monsieur, répondit poliment Tinsley en se redressant sur sa chaise et en baissant les yeux avec humilité.

Ses genoux tremblaient un peu à cause de ce qu'elle s'apprêtait à dire, mais elle parvint à garder une voix ferme. Toute la journée, la veille, elle avait été excitée par ce rendez-vous, par ce moment précis. Dès lors qu'elle aurait prononcé ces mots, il n'y aurait plus moyen de faire machine arrière. Marymount la haïrait à jamais, si ce n'était pas déjà le cas. Mais était-il juste que Callie et elle aient été punies pour s'être laissé surprendre soûles et à demi dévêtues lors de ce week-end à Boston, et que lui, pourtant coupable d'un crime bien pire, tromper sa femme avec Pardee, n'en soit pas le moins du monde inquiété ? Tinsley avait été forcée d'emménager avec cette emmerdeuse de Beth et pourtant, elle n'avait rien dit pour Marymount. Partager un tel secret lui donnait sûrement le droit à certains, hum, avantages supplémentaires.

Gardant cette attitude, elle se lança.

— Je connais la politique de l'école contre les activités en dehors du campus, mais je peux vous assurer que cela ne ressemblera *en rien* au voyage à Boston.

Elle marqua un temps d'arrêt, contempla le bout de ses bottes, comme pour montrer une parfaite contrition alors qu'elle était en fait, en train de le faire chanter.

— Une chose pareille ne se produira plus *jamais*... J'imagine que tout le monde s'est un peu laissé emporter ce week-end-là, sans penser aux conséquences de ses actes.

Voilà. C'était dit. Tinsley avait réfléchi encore et encore à la meilleure façon de présenter les choses, et avait finalement décidé de les voiler suffisamment pour que Marymount ne soit pas trop humilié, ni vexé au point de la renvoyer sur-le-champ. En se montrant suffisamment subtile, elle lui laissait une possible dérobade – au fond de lui, il comprenait ce qu'elle voulait dire, et elle lui permettait de jouer le jeu sans considérer cela comme un chantage. De la part d'une de ses élèves. Il y eut un moment de flottement, le tic-tac de l'horloge comtoise dans le coin et le battement de son cœur à ses oreilles étaient les seuls sons qu'elle parvenait à distinguer. Peut-être allait-il tout simplement exploser de rage et la renvoyer ? Elle aurait été plutôt impressionnée.

Après un silence suffisamment évocateur du malaise ambiant, Marymount s'éclaircit la gorge et Tinsley leva des yeux implorants, le visage même de l'innocence. *Pense Bambi, Blanche-Neige,* se dit-elle. *Tu n'as rien fait de mal. Montre-lui.* Elle sentit les yeux de Marymount scruter son visage, à la recherche de quelque chose qu'il parut ne pas trouver. Pour finir, il lâcha un gros soupir.

— Et quand espériez-vous organiser cet événement ?

Le cœur de Tinsley bondit de joie.

— Ce vendredi – demain, donc – ce serait parfait. Je sais que c'est un peu court, mais la météo s'annonce superbe et ça me semble l'occasion idéale, avant que ne débute véritablement l'automne, vous voyez ?

Marymount prit une grande inspiration et pressa le haut de son nez entre son pouce et son index. Tinsley fit mine de ne pas remarquer ce qui était en train de se produire et garda une expression agréablement surprise et reconnaissante, réprimant son exultation triomphale. Toujours se montrer fair-play.

— Je voudrais juste que vous sachiez, mademoiselle Carmichael (le coup d'œil de Marymount vers la photographie encadrée sur son bureau n'échappa pas au regard vigilant de Tinsley) que vous serez *totalement responsable* si quoi que ce soit se passe mal.

Elle acquiesça gravement – elle pensait déjà aux baisers qu'elle échangerait avec Julian dans la grange.

— Tout ira bien, monsieur, mais j'accepte d'être tenue pour responsable du moindre incident.

— D'autre part, ajouta-t-il sans faiblir, son regard croisant celui de Tinsley pour la première fois depuis plusieurs minutes, ce sera la dernière fois que quelque chose de ce genre se produit. Compris ?

— Parfaitement.

Elle acquiesça d'un hochement de tête, sachant pourtant pertinemment, que dès lors qu'il y a une première fois, dans quelque domaine que ce soit, c'est rarement la dernière.

HibouNet Boîte de Réception

À : Destinataires inconnus
De : TinsleyCarmichael@waverly.edu
Date : Jeudi 10 octobre, 12 : 38
Objet : *New York-Miami*

Chers veinards
Vous êtes cordialement invités par le ciné-club Septième Art à la projection hors campus, du film *New York-Miami*, à Rhinecliff demain (vendredi) soir à 19 heures.
Le doyen nous a gentiment permis d'organiser cette séance spéciale en l'honneur de son amour inaltérable pour Claudette Colbert. N'oubliez pas de lui envoyer une carte de remerciement dès samedi matin. Enfin, si vous avez fini de cuver.
Transport : je fais confiance à votre inventivité pour vous débrouiller tout seuls.
Au revoir, mes enfants[1],

Tinsley

1. En français dans le texte. *(N.d.T.)*

Boîte de Réception

De : JulianMcCafferty@waverly.edu
À : JennyHumphrey@waverly.edu
Date : Jeudi 10 octobre, 12 : 40
Objet : Re : Sois un citoyen modèle...

J,
Je suis toujours d'accord pour participer à ton projet. Je serai là à 18h 30.
Alors comme ça tu aimes les tee-shirts, hein ? J'essaierai de te surprendre. Pour reprendre la chanson de Right Said Fred, *I'm too sexy for my shirt*[1]...
Je plaisante – je promets de venir complètement habillé. À plus.

(l'autre) J

1. *Je suis trop sexy pour mon tee-shirt...*

21

UN HIBOU DE WAVERLY NE SE PREND PAS TROP LA TÊTE AVEC LES AFFAIRES DE CŒUR. SAUF QUAND IL NE PEUT PAS FAIRE AUTREMENT.

Malgré le ronron réconfortant de la machine à cappuccino et la musique de Dar Williams qui passait à CoffeeRoasters, minuscule café du centre-ville de Rhinecliff, le jeudi après-midi, Beth ressentait une certaine fébrilité. En face d'elle, Jenny, penchée sur un classeur, était occupée à surligner gaiement des passages de son cours. Les gens qui fréquentaient CoffeeRoasters étaient du genre à commander du lait de soja et des muffins au potiron bio, et, bien que Beth n'ait absolument rien d'une baba cool, elle appréciait leur compagnie.

Pourtant, malgré l'ambiance studieuse – si l'on fait abstraction de la caféine – elle ne pensait qu'à une chose : à ce qui s'était passé la veille avec Kara. *Le baiser.* Beth n'avait jamais embrassé de fille avant, pas sérieusement, mais n'ayant jamais été particulièrement coincée non plus, elle n'avait jamais eu d'opinion très arrêtée sur ce sujet. Elle se rappelait plein de soirées, où les filles, soûles, avaient tendance à se montrer très câlines entre elles, mais elle avait toujours cru que c'était pour provoquer les mecs sexy qui les mataient. Embrasser Kara était différent. D'abord, personne ne les regardait, et ensuite, elles l'avaient fait parce qu'elles en avaient eu envie, pas sous l'emprise de l'alcool.

Il était inutile que Beth s'inquiète du malaise qui aurait pu régner entre elles après ce petit impromptu. Lorsque Beth avait croisé Kara sortant de la douche ce matin, une boucle de cheveux mouillés collée sur la joue, toutes deux s'étaient immédiatement souri – de ce sourire timide, entendu, qui n'existe qu'entre deux personnes qui partagent un secret très grisant. Et tout s'était déroulé comme d'habitude au déjeuner. Elles avaient discuté comme si de rien n'était, sauf que chacune savait ce à quoi l'autre pensait, à l'insu de tous. C'était franchement excitant. Peut-être se tenaient-elles un peu plus près l'une de l'autre, mais pas assez pour que qui que ce soit le remarque.

Beth n'arrêtait pas de jeter des coups d'œil en direction de Jenny et était assise en face d'elle à la minuscule table un peu collante, son surligneur jaune fluo au-dessus de son cours de biologie, prêt à l'attaque. Elle devait sans cesse se mordre la joue pour ne pas tout lui déballer sur-le-champ. Quoique… Jenny avait bel et bien gardé secrète sa relation avec M. Dalton, après tout. Autrement dit, on pouvait lui faire confiance. Et Beth avait vraiment l'impression que si elle ne racontait pas ça à quelqu'un, elle allait périr par combustion spontanée.

Beth n'avait toujours pas trouvé de bonne raison pour se retenir de tout dévoiler à Jenny ; celle-ci lui jeta un regard interrogateur. Ses yeux chocolat étaient si chaleureux, si amicaux, les taches de rousseur disséminées autour de son nez légèrement retroussé si rassurantes, si franches… Beth ne pouvait plus lutter. Elle referma son livre, le posa sur la table et se pencha vers Jenny, pour lui faire une confidence.

— Tu as déjà embrassé une fille ? demanda-t-elle à voix basse.

— Quoi ?

Jenny se mit à tapoter son surligneur sur sa joue d'un air absent, oubliant apparemment qu'il était débouché, ce qui laissa une toute petite tache jaune au coin de sa bouche. Elle parut un peu déroutée.

— Je ne sais pas. Tu veux dire... sérieusement ? Ou comme Kara et toi l'autre soir à la réunion ?

— Eh bien...

Beth regarda autour d'elles, soudain paranoïaque. Ce type qui était avec elle en cours de maths était-il en train d'écouter leur conversation ? Non, il avait de minuscules écouteurs blancs dans les oreilles.

— En fait, on a remis ça, dit Beth en enroulant sa chaîne en or autour de son index. Hier soir.

— Attends, *quoi* ? s'exclama Jenny, qui semblait avoir reçu un seau d'eau glacée sur la tête. Tu veux dire, vous êtes sorties ensemble ?

Sa voix couina un peu lorsqu'elle prononça les deux derniers mots.

— Chuuut ! fit Beth en pressant un doigt sur ses lèvres.

Elle ne voulait pas choquer les deux femmes sur sa gauche. Même si, avec leurs longues robes informes à motif, elles auraient bien pu être lesbiennes. Mais, minute – on ne pouvait pas deviner la sexualité des gens rien qu'en les *regardant*, se rappela-t-elle. C'était exactement ce qu'elle ne voulait pas que les autres fassent avec *elle*. Elle posa les coudes sur la table, oubliant que la soie délicate de sa blouse paysanne Anna Sui risquait de coller aux taches de café.

— Je ne sais pas trop. On peut dire ça. Enfin… Je n'ai pas la moindre idée de ce que c'était exactement.

— Oh là là, lâcha Jenny en formant une pyramide avec ses doigts et en les tapotant rapidement les uns contre les autres. C'est dément. C'était comment ?

Beth fut submergée par une vague d'amitié pour Jenny. Elle avait eu la réaction parfaite – étonnée et curieuse, bien sûr, mais pas choquée ni horrifiée. Beth n'aurait jamais pu confier une chose pareille à Tinsley (même du temps où elles étaient soi-disant amies) sans que celle-ci n'émette un commentaire narquois du genre « Tu n'as plus qu'à aller t'acheter une paire de Birkenstocks spécial camionneuse » ou quelque chose dans ce goût-là.

— C'était… agréable, reconnut-elle en haussant les épaules. Mais je suis un peu larguée, tu vois ce que je veux dire ?

— J'imagine.

Jenny but une gorgée dans sa tasse bleu marine portant un logo qui disait « Le garage de Mike ». Les propriétaires de CoffeeRoasters achetaient leur vaisselle dépareillée dans des brocantes, d'après ce qu'ils disaient. L'idée était plutôt charmante, en fait.

— Alors… Tu as envie de recommencer ou pas ?

Beth piqua un fard.

— Plutôt.

Autrement dit, oui. Elle marqua un temps d'arrêt, scruta le visage de Jenny.

— Tu trouves ça bizarre ?

— Je doute que tu sois la première personne au monde à embrasser une fille et à aimer ça, gloussa Jenny.

La machine à cappuccino se mit en marche dans un bourdonnement, dans le dos de Beth, avant de se mettre à siffler bruyamment.

— C'est vrai, poursuivit-elle, les filles sont belles. Pourquoi n'aurait-on pas envie de les embrasser ? Les filles sentent toujours bon, alors que les mecs, des fois...

Puis son visage se fit un peu plus sérieux.

— En plus, Kara est géniale. Elle est mignonne, douce, marrante.

Beth se sentit rougir un peu plus. Avait-elle aussi cette opinion de Kara ? Sûrement. Malgré sa gêne à entamer la conversation, elle devait reconnaître que cela lui faisait du bien de dire ce qu'elle avait sur le cœur. Elle avait beau être un peu perdue, elle était aussi excitée, et c'était agréable de pouvoir en discuter avec Jenny.

— Alors je dois être bi, non ? dit Beth en baissant la voix. Ou c'est un genre de réaction logique pour m'être fait avoir une fois de trop par un imbécile ?

Jenny but une nouvelle gorgée de café. Elle la regarda d'un air pensif par-dessus le bord de sa tasse.

— Je ne sais pas. Tu as quand même eu quelques coups durs, récemment.

Elle suivit du pouce le tour de sa tasse puis ouvrit un nouveau sachet d'aspartame et le vida dans sa boisson.

— Mais ce serait peut-être une bonne idée d'éviter de te cataloguer tout de suite, tu vois ce que je veux dire ? Les étiquettes ne veulent pas dire grand-chose.

Beth fit une petite moue.

— Mais moi j'aime bien les étiquettes, admit-elle. Elles clarifient les choses.

Sa sœur Bree lui disait toujours qu'elle aimait trop que les choses soient soigneusement emballées, alors que l'intérêt de la vie résidait justement dans son côté fouillis, son refus d'être conditionnée. Beth n'avait jamais vraiment prêté attention à cet avis – c'était sûrement une façon pour Bree de se trouver une excuse pour ne pas ranger sa chambre ou pour rompre avec des mecs sans vraiment le leur annoncer. Mais Jenny avait peut-être raison.

Celle-ci pencha la tête d'un air compatissant.

— Tu n'as pas besoin de tout analyser tout le temps. Contente-toi de… suivre ton cœur. Et ne t'en fais pas – avec moi, ton secret est bien gardé.

Elle fit mine de tirer une fermeture Éclair devant ses lèvres.

Beth hocha la tête d'un air pensif. Suivre son cœur. Bien. Combien de fois lui avait-on dit ça et où cela l'avait-elle mené jusque-là ? Deux fois le cœur brisé en un mois et demi. Mais tout de même. On ne pouvait trouver plus différent d'Eric Dalton ou Jeremiah Mortimer que Kara – tant en termes de personnalité que d'anatomie. Bien qu'elle ne sût pas grand-chose de l'anatomie de Kara. Du moins, pour le moment.

22

UN PEU DE SAINE COMPÉTITION NE FAIT PAS DE MAL AUX HIBOUX.

— T'es nul, Buchanan, s'écria Julian en se jetant en travers du parquet clair du court de squash dans un maigre effort pour retourner l'amorti parfaitement placé que venait de lui asséner Brandon.

Il s'écrasa contre le mur blanc taché tandis que la balle retombait devant lui.

— Alors comment se fait-il que je vienne de te mettre une raclée ?

Brandon laissa tomber sa raquette sur le sol et tendit une main en sueur en direction de l'endroit où Julian était étalé, hors d'haleine. Julian la prit et se releva dans un gémissement. Sur les autres courts, les balles de squash continuaient de cogner et les garçons en nage de courir, mais Brandon venait de battre Julian, deuxième meilleur joueur de l'équipe, pour la quatrième fois d'affilée. Comme c'était agréable de sentir que tout son jeu fonctionnait à la perfection – réflexes instantanés, coups pile au bon angle, il aurait presque pu dire où la balle allait atterrir avant que son adversaire la touche. Il était juste… *à fond.* Y avait-il un rapport avec le SMS sexy que venait de lui envoyer Elizabeth, juste avant l'entraînement ? Peut-être.

Julian serra la main de Brandon avec fair-play avant de passer son poignet en éponge, blanc à l'origine, sur son front luisant.

— Attends de voir, la prochaine fois, lui promit Julian.

— Crois-tu que cette incroyable série de défaites a un lien avec ce truc de fille que tu portes sur la tête ? dit Brandon en désignant la queue-de-cheval de son adversaire.

Le look de Tom Cruise dans *Magnolia* était-il franchement une bonne idée ? D'ailleurs, le look de Tom Cruise en général était-il une bonne idée ? Brandon ouvrit la porte du court et se dirigea vers la fontaine.

— Bien joué, beau gosse.

Surpris, Brandon leva les yeux vers les trois bancs qui servaient de gradins (on se bousculait rarement pour assister aux matches de squash) et vit Elizabeth, assise sur celui du milieu, vêtue d'une minijupe en jean qu'elle semblait avoir coupée elle-même, de collants noirs et d'un haut moulant noir à col rond. Ses Doc Martens montantes étaient posées presque délicatement sur le banc devant elle. Elle enleva les écouteurs de ses oreilles percées de boucles en argent, et ses cheveux blonds se répandirent sur ses épaules.

Brandon ne s'était pas rendu compte qu'il la fixait sans bouger, jusqu'à ce que Julian lui donne un coup dans les côtes.

— Hé !

Brandon s'approcha, toujours étonné de la trouver dans un endroit aussi banal qu'une salle de squash. C'était presque comme s'il avait réussi à la faire apparaître, lui qui pensait à elle constamment depuis leur petite soirée dans sa chambre la veille. Elle était tellement sexy, tellement adorable. Et drôle et…

— Qu'est-ce que tu fais ici ? lui demanda-t-il, en prenant tout à coup conscience qu'il ruisselait de sueur.

Il passa très vite son bracelet en éponge sur son front.

— Je te regardais transformer ce pauvre gosse en serpillière.

Ses yeux bruns étincelèrent avec amusement, et Brandon se glissa à côté d'elle sur le banc.

Il se gonfla d'orgueil mais fut bien content de ne pas avoir remarqué Elizabeth – et ses jambes sexy – plus tôt, car cela l'aurait sûrement distrait. Callie était venue le voir jouer lors d'un de ses grands tournois un jour, et Brandon avait été tellement intimidé qu'il s'était fait écraser par un type de Deerfield qu'il avait pourtant pulvérisé lors de leurs cinq précédentes rencontres – sa fierté masculine en avait pris un coup. Callie avait tenté de lui remonter le moral en lui répétant qu'il n'avait pas si mal joué, mais Brandon avait décelé un brin de déception sur son joli visage – et c'était tout juste s'il n'entendait pas son abusive de mère lui déclarer « Les Vernon ne sortent pas avec des *losers* ». Callie avait d'ailleurs annulé leur rendez-vous ce soir-là, prétextant qu'elle avait oublié que c'était le soir de la finale d'*America's Next Top Model.* Il décida de voir sa victoire d'aujourd'hui comme un bon présage, sa relation avec Elizabeth commençait du bon pied.

— Merci. Tu n'es pas mal non plus, tu sais.

— Pourtant, je suis seulement assise, répondit Elizabeth en lui adressant un clin d'œil. Alors, ton entraînement est terminé ? Tu as un peu de temps ?

Avant qu'il puisse répondre, Brian Atherton, un terminal de l'équipe qui appelait tout le monde « vieux » et se rasait la tête, dans une vaine tentative de dissimulation de sa calvitie précoce, vint jeter son bras autour des épaules de Brandon, comme s'ils étaient les meilleurs amis, et non de simples partenaires contraints de s'entendre.

— Vieux, dit Atherton, la bouche quasiment béante à la vue d'Elizabeth. C'est ta copine ?

Brandon remarqua soudain que les courts étaient beaucoup plus silencieux, les jurons des garçons et les bruits de raquettes heurtant les murs avaient cessé. Il se dégagea, l'air de rien, du bras lourd d'Atherton et répondit sans vraiment réfléchir.

— Oui. C'est Elizabeth. Je te présente Brian, dit Brandon en le désignant de la tête.

Atherton posa un pied sur le banc le plus bas et fit mine de s'étirer le mollet.

— Alors qu'est-ce que tu fous avec ce gamin ? demanda-t-il d'un air incrédule avant de boire un peu d'eau en reluquant les épaules d'Elizabeth.

Brandon l'avait un jour vu poser le même regard sur un Big Mac après un match en extérieur. Crade.

Elizabeth regarda Atherton droit dans les yeux, apparemment pas très impressionnée. Elle haussa les épaules, sourit, la fossette sous sa lèvre se creusa malicieusement. Brandon croisa son regard et vit tout de suite que quelque chose n'allait pas. Il s'empressa d'écarter Atherton de son passage et entraîna Elizabeth vers la sortie.

— Ça va ? demanda-t-il une fois que les lourdes portes du complexe de squash se furent refermées derrière eux.

L'air frais lui procura une agréable sensation sur sa peau chaude et il rangea ses bracelets en éponge dans la poche extérieure de son sac de sport.

— Désolé pour Atherton. C'est un con, ajouta-t-il.

Il baissa les yeux et constata qu'il avait gardé aux pieds ses baskets de squash. Techniquement, ils n'étaient pas censés les porter hors des courts – le complexe de squash était une annexe récente et coûteuse de Waverly, des panneaux menaçants avaient été placés un peu partout pour rappeler cette règle.

— Ouais.

Elizabeth se passa distraitement la main dans les cheveux, enfila son blouson en faux cuir. Elle le ferma, dissimulant au regard de Brandon son affolante clavicule.

— Hum… Tu es vraiment quelqu'un de très spécial pour moi… poursuivit-elle.

Oh-oh. Il se tourna pour lui faire face. Elle n'était quand même pas venue jusque-là pour rompre avec lui, au moins ?

— Mais… C'est juste que « copine », « petite amie », tout ça, je suis un peu allergique, quoi.

Elle se mordit la lèvre.

— Heu… D'accord.

Brandon ne comprenait rien du tout. Ce n'était même pas lui qui avait parlé de « copine » – mais c'était tout de même ce qu'elle était, non ? Sauf si… elle était en train de lui dire qu'elle n'en avait plus envie ?

Elizabeth posa une main sur son bras nu, et il baissa les yeux sans un mot vers ses ongles rose pâle lorsqu'elle le serra doucement. Elle ne l'aurait jamais touché comme ça si elle était en train de rompre avec lui.

Elle n'éloignait pas sa main. Mieux, elle commençait à lui caresser le poignet avec son pouce, et Brandon dut faire de gros efforts pour ne pas se laisser submerger par l'émotion.

— Donc, qu'est-ce que tu essaies de me dire exactement ? demanda-t-il avec une certaine maladresse.

— Juste que j'ai besoin d'être un peu, comment dire, *open*, sur ce sujet.

Elle leva ses yeux marron vers lui à travers l'épais rideau de cils foncés.

— Je déteste me sentir… prise au piège…

Elle tenta d'accrocher son regard, à la recherche de compréhension.

Comment ça ? Alors elle n'était pas en train de le larguer – elle disait simplement qu'elle voulait encore, hum, *étudier*, avec d'autres ?

— Qu'est-ce que tu en penses ? murmura Elizabeth en se rapprochant un peu plus de lui, au point que le parfum de miel et d'encens de ses cheveux le ramena illico à la soirée de la veille dans sa chambre.

Et tout à coup, Brandon ne pensa plus à rien du tout.

HibouNet Boîte de réception

À : Femmes de Waverly ; HeathFerro@waverly.edu
De : KaraWhalen@waverly.edu
Date : Jeudi 10 octobre, 16 : 45
Objet : Réunion des Femmes de Waverly

Mesdemoiselles (et Heath)
La deuxième réunion officielle de notre club aura lieu ce soir à 19 heures. L'atrium est réservé pour autre chose, alors nous pouvons tous nous retrouver dans ma chambre (Dumbarton 107) si la promiscuité ne vous fait pas peur !
Merci d'avoir fait de la première réunion un succès – parlez-en autour de vous pour ce soir et n'ayez pas peur de poser vos questions ! Le sujet de ce soir : l'AMOUR.
Heath – tu es le bienvenu, mais comme les visites ne sont plus autorisées à cette heure, ne te fais pas prendre.

Bisous
Kara

Boîte de réception

À : KaraWhalen@waverly.edu ; Femmes de Waverly
De : HeathFerro@waverly.edu
Date : Jeudi 10 octobre 16 : 51
Objet : Re : Réunion des Femmes de Waverly

N'ayez crainte, très chères – je viendrai avec des présents pour mes camarades féminines !

Bisous bisous
H.F.

 **HibouNet** Boîte de Réception

À : JulianMcCafferty@waverly.edu
De : TinsleyCarmichael@waverly.edu
Date : Jeudi 10 octobre 16 : 59
Objet : Signal

Je ne sais pas trop ce qui t'est arrivé hier, mais c'est ton jour – je te donne une deuxième chance. Ne me plante pas une nouvelle fois, tu pourrais le regretter.

Je t'embrasse !
T.

23

UN HIBOU DE WAVERLY DOIT SAVOIR DONNER POUR RECEVOIR.

Beth laissa tomber le dernier pouf en forme de poire du salon dans la chambre de Kara et se redressa, en se massant légèrement l'épaule. En vue de la réunion des Femmes de Waverly, elles avaient emprunté une demi-douzaine de ces gros machins, qu'elles avaient réussi à caser dans l'espace maintenant réduit de la chambre, métamorphosée en océan d'énormes boules en vinyle de couleurs vives. Kara s'affala sur un pouf bleu foncé. Beth avait toujours détesté ces trucs – mais maintenant ils lui paraissaient, un peu... sexy. N'hésitant qu'un instant, elle s'assit à côté de Kara, toutes deux tanguèrent légèrement sous le poids de son corps, ce qui les fit glousser. En parler avec Jenny cet après-midi avait décomplexé Beth. Non qu'elle ait vraiment eu des *complexes* à ce propos, mais tout de même...

— De quoi allons-nous parler à la réunion ce soir ? demanda Beth, consciente du fait que leurs bras se touchaient.

Elle sentit le rembourrage du pouf bouger et s'enfonça un peu plus, se rapprochant de Kara au point que leurs jambes rentrèrent également en contact.

Kara fit tourner sa chaîne en argent pour remettre en place le fermoir. Ses ongles étaient recouverts d'un vernis rose pâle, une couleur qui rappelait à Beth son propre vernis Crazy Daisy de chez Pinkie Swear, bon à refaire. Kara ne portait aucun autre maquillage, elle n'en avait pas besoin. Elle avait de minuscules taches de rousseur très pâles en haut des joues, si claires qu'on ne les remarquait vraiment que lorsqu'on était tout près d'elle. Aussi près que Beth à ce moment présent.

— Le thème, c'est l'amour, alors on pourrait peut-être parler des différentes formes d'amour ? suggéra Kara, les sourcils délicatement arqués.

— Hum…

Mais Beth était incapable de penser à autre chose qu'à embrasser de nouveau Kara, aussi, avant d'ajouter quoi que ce soit, elle se pencha vers elle. Visiblement, Kara n'en fut pas choquée, car ses lèvres bougèrent instinctivement contre celles de Beth, ce qui lui envoya des frissons dans le dos. Elle essayait de ne pas comparer les baisers de Kara et ceux de Jeremiah, mais elle ne pouvait s'en empêcher – c'était comme si elle avait mangé des pommes toute sa vie et qu'elle venait de goûter les choux de Bruxelles après avoir toujours cru détester ça, pour se rendre compte qu'ils étaient plus doux que du sucre. Kara avait des lèvres si douces. En plus elle embrassait super bien. La main de Beth vint se poser sur sa joue.

— Tadaaa !

Les filles s'écartèrent, surprises, et se retournèrent. Elles découvrirent Heath Ferro sur le seuil, déguisé… en drag-queen. Il avait une longue perruque blonde et d'énormes lunettes de soleil Gucci marron, qu'il retira de son visage à l'instant où il vit les deux filles enlacées.

— Putain j'y crois pas !

Beth se leva d'un bond, le visage en feu.

— Ferme la porte, abruti ! lui siffla-t-elle avant de s'en charger elle-même. Qu'est-ce que tu fous ici ?

Heath plaqua sa main sur sa bouche. Ses yeux étaient exorbités d'excitation, et si la situation n'avait pas été si grave, Beth aurait sûrement ri de le voir ressembler à ce point à une fille avec cette perruque – une fille plutôt jolie, d'ailleurs.

Pourtant, il n'était pas habillé en femme et portait un treillis élimé avec un tee-shirt noir ajusté qui révélait clairement son absence de poitrine. Mais d'un coup d'œil rapide, on aurait pu s'y tromper.

— Ne vous interrompez pas pour moi, je vous en prie ! C'était le truc le plus sexy que j'aie jamais vu !

— Heath, tu ne dois parler de ça à *personne*, dit Beth en pressant ses mains sur ses tempes, croisant le regard tout aussi paniqué de Kara à l'autre bout de la pièce. Je suis *sérieuse*. Il faut que tu nous le jures, d'accord ?

De façon plutôt dingue, malgré l'état de nerfs dans lequel elle se trouvait, Beth ne put s'empêcher de remarquer à quel point Kara était jolie quand elle avait peur.

D'un air absent, Heath accrocha ses lunettes de soleil au col de son tee-shirt, tandis qu'un sourire béat se dessinait sur son visage. On aurait dit qu'il venait de pénétrer dans le manoir Playboy.

— Je le jure – c'est vrai, je le jure sur tout ce que j'aime – jamais je ne raconterai ça à personne. Jamais.

Il regarda avec le plus grand sérieux les deux filles puis se mit à fouiller dans son sac à dos, dont il finit par tirer... son appareil photo numérique.

— Tant que je peux faire une photo.

— Quoi ?

Beth pinça les lèvres, agacée. Mais en voyant l'air ravi de Heath, celui du gosse qui débarquait dans un magasin de bonbons, elle commença à sentir qu'il ne constituait pas une réelle menace, finalement – du moins tant que cela continuait à l'amuser. Beth tapota le bout de sa Camper en daim beige sur le parquet.

— Pas question.

Kara secoua la tête depuis son pouf. Elle rajusta sa courte jupe noire et Beth sentit sur elle le regard de Heath, qui voulait savoir si elle regardait les jambes de Kara. Ah les mecs.

— Allez, une petite photo. C'est tout ce que je demande, et en échange je garde votre secret.

Heath se tournait alternativement vers les filles, en tripotant les cheveux de sa perruque blonde.

— S'il vous plaît !! Vous êtes tellement sexy toutes les deux.

Beth croisa enfin le regard de Kara et tenta de lui transmettre un message silencieux. *Suis moi*, voulait-elle dire.

— Eh bien… commença Beth en se frottant le menton entre le pouce et l'index. Une, pourquoi pas.

Si c'était tout ce qu'il fallait pour que Heath Ferro la boucle, ce n'était pas tellement cher payer.

— Oh, je vous adore, les filles !

La perruque de travers, Heath alluma nerveusement son tout petit Nokia argenté, et Beth adressa un clin d'œil à Kara.

Cette dernière sourit et se leva en s'étirant. Elle approcha de l'endroit où se tenait Beth et lui toucha le bras.

— Prête ? demanda-t-elle, sourcils haussés.

Tu es sûre ? semblaient interroger ses yeux.

— Ouais ! gloussa Beth en calant une mèche folle derrière son oreille gauche.

Et leurs visages se rapprochèrent petit à petit l'un de l'autre, comme dans un film, puis leurs lèvres se rencontrèrent, s'entrouvrirent doucement. C'était plutôt... sexy d'avoir un spectateur. Ce n'était pas comme avant, lorsqu'elles étaient seules, c'était excitant d'une façon différente, presque comme si le fait qu'un autre partage leur secret rendait tout cela encore plus grisant. Beth s'écarta à contrecœur.

— C'était comment ? demanda-t-elle en se tournant vers Heath, la main sur la hanche, d'un air de défi.

Il se passa la main sur le crâne, oubliant qu'il portait une perruque. Celle-ci glissa sur la gauche, les longs cheveux blonds demeurèrent perchés sur le côté.

— Je suis au paradis, c'est ça ? En tout cas... il doit y avoir quelqu'un là-haut qui m'aime vraiment.

Les yeux rivés sur l'écran de son appareil, il se mit à faire défiler les photos.

— Fais voir.

Kara lui arracha l'appareil des mains et le tint de façon à ce que Beth pût les voir aussi. Heath avait pris une dizaine de photos d'elles durant les cinq secondes qu'avait duré ce baiser, Beth regarda les images d'elle-même et Kara apparaître sur le minuscule écran. Elle devait reconnaître qu'elles étaient plutôt sexy toutes les deux. Lorsqu'elle les eut toutes vues une fois, Kara s'empressa de les effacer.

— Hé, qu'est-ce que tu fais ? s'écria Heath en tentant de récupérer son appareil. Vous avez dit que je pouvais en avoir une !

Il se jeta sur Kara, mais Beth le retint, le temps qu'elle termine. Kara sauta sur son lit et effaça toutes les images.

— *Non !* gémit-il.

On aurait dit une fille. C'était plutôt approprié, étant donné qu'il en avait l'allure.

Beth lui tapota le dos.

— Écoute-moi. Chaque jour qui passe sans que tu révèles notre secret, on prend une photo toutes les deux et on te l'envoie. Qu'est-ce que tu en penses ?

Elle jeta un coup d'œil vers Kara, toujours debout sur son lit.

— Alors pour l'instant, poursuivit celle-ci, en faisant des petits bonds devant le poster de Bob Dylan jeune en noir et blanc accroché au-dessus de son lit, l'appareil est à nous.

— Si vous m'envoyez des photos sexy en douce, rien que pour moi, s'étrangla Heath, comme si l'idée lui coupait le souffle, je vous promets d'emmener votre secret dans ma tombe.

Il plaça sa main sur le cœur.

— Marché conclu.

Les lèvres en forme de cœur de Beth se retroussèrent en un sourire et elle croisa une nouvelle fois le regard de Kara.

— Tu comprendras, bien sûr, dit-elle en baissant d'un ton pour prendre la voix la plus menaçante possible, que si cela se sait, nous serons forcées de te tuer.

— Oh, je promets, dit Heath en pressant ses mains l'une contre l'autre, comme en prière. Je promets vraiment. Je jure sur tout ce qui est saint.

Son regard vert d'éternel blasé brillait de… quoi ? S'agissait-il de sincérité ?

Ou de pure concupiscence ?

24

UN HIBOU DE WAVERLY SAIT QUE PARFOIS LE TRAVAIL EST LE MEILLEUR REMÈDE.

Jenny posa son matériel de dessin sur une table au centre de l'atelier. La lourde boîte de pastels cogna bruyamment contre le métal et résonna dans l'immense espace vide. Le bâtiment était ouvert presque tous les soirs à toute personne ayant besoin d'utiliser les tables à dessin un peu plus longtemps, mais aucun élève n'en profitait.

Elle alluma le poste de Mme Silver pour avoir de la compagnie. Il était réglé sur une radio diffusant des vieux tubes, mais Jenny ne changea pas de fréquence – ça lui rappelait un peu son père, qui chaque matin traînait ses savates dans la cuisine pour préparer son café au son de l'un des trois CD des Beatles qu'il passait en boucle sur le lecteur portable que Dan et Jenny lui avaient offert pour Noël. « Des vieux tubes pour le vieux schnock », aimait-il dire.

En revenant à son bureau pour préparer soigneusement son matériel, Jenny ne put s'empêcher de sourire. Elle adorait se retrouver seule dans l'atelier. Les immenses baies vitrées donnaient sur les couleurs vives des feuilles automnales dont les teintes restaient visibles, bien que le soleil fût sur le point de se coucher. Les reflets des néons scintillaient. Les fenêtres lui rappelaient un peu New York, lorsqu'elle descendait Columbus Avenue le soir, en contemplant les immenses vitrines et les passants qui s'y réfléchissaient.

Entendant claquer les portes, Jenny leva la tête et vit Julian qui arrivait, en mangeant une pomme. Elle apercevait la fossette, juste au coin de sa bouche et lui sourit, à l'autre bout de la pièce.

— Salut, dit-elle.

Sa voix résonna à travers le vaste atelier vide, par-dessus une vieille chanson des Rolling Stones. Elle lui fit signe d'approcher de l'endroit où était rangé son matériel : un grand bloc de papier à dessin, des pastels, des fusains, des aquarelles, même quelques tubes de peinture. Jenny avait tout emporté, pas très sûre de ce dont elle voulait se servir, exactement. En fait, elle attendait... l'inspiration.

— Tu es venu, ajouta-t-elle avec un sourire.

Julian croqua une nouvelle fois dans sa pomme verte et jeta un coup d'œil appréciateur au haut plafond en pente et aux immenses fenêtres. Puis il baissa vers elle ses yeux brun doré et demanda d'un air interrogatif :

— Au fait, ça va, comme je suis habillé ? Je sais que tu adores les tee-shirts, mais...

Il avait détaché ses cheveux châtains et portait une chemise à manches longues sur un tee-shirt d'un concert des Raconteurs et un pantalon noir à revers.

— En tout cas, toi, tu es super jolie. Quelqu'un devrait faire ton portrait, ajouta-t-il.

Jenny s'intima de ne pas rougir du compliment. Elle avait été étonnamment nerveuse en se préparant puis s'était finalement décidée pour un pull chocolat à col cheminée et manches ballon de chez Free People en matière super douce qui paraissait soyeuse à la lumière. Sur le jean foncé, moulant, de chez Gap qu'elle avait depuis toujours. Rien d'extravagant, mais c'était vraiment adorable de la part de Julian de la complimenter sur son apparence. Elle avait tout de même appliqué sur ses paupières un soupçon d'ombre pailletée de la marque Bare Escentuals.

— Heu, merci. Mais pour te répondre – oui, ta tenue me convient très bien, répondit-elle enfin, en espérant ne pas avoir rougi malgré elle.

— Cool.

Julian sauta sur la petite estrade au centre de l'atelier, où les modèles s'installaient pour poser pendant le cours. Ses grosses chaussures de randonnée cognèrent fortement sur le bois, et, avec cette hauteur supplémentaire, il dominait largement Jenny – encore plus que d'habitude.

— C'est là que tu me veux ? demanda-t-il avec un sourire.

— Peut-être... répondit-elle en se frottant le pouce contre le menton, comme elle faisait toujours lorsqu'elle essayait de se représenter sa composition.

Julian était tellement grand et dégingandé – elle avait l'impression que c'était ce que son portrait devrait mettre en valeur.

— Heu... Si on essayait le fauteuil ?

Elle approcha du fauteuil en velours élimé qui était apparu par hasard dans l'atelier l'autre jour. La section théâtre en avait fait don au département d'arts plastiques, et Mme Silver l'avait immédiatement réquisitionné pour installer les modèles dessus, dans sa quête continuelle de mobilier « inspirant ». Il était un peu avachi, le tissu tellement usé qu'on voyait la trame nue en certains endroits, mais il restait assez du velours à rayures bleu roi pour lui donner un air régalien, excitant, un peu comme s'il s'agissait d'un trône personnel. Julian, roi des… quoi ? Très grands et très beaux gosses ?

Julian s'affala sur le siège, qui parut soudain tout petit – ses genoux lui arrivait pratiquement au niveau de la poitrine. Jenny ne put s'empêcher de pouffer. Il toussa, s'étira en bâillant et étendit ses longues jambes avant de se coller au dossier.

— J'ai l'impression que ce fauteuil me dévore tout cru.

— Tu es bien installé ? demanda Jenny, le crayon déjà à l'œuvre sur sa feuille. C'est une pose géniale – on voit vraiment à quel point tu es grand.

Julian remua un peu sur son siège. On aurait dit un joueur de basket essayant de se mettre à l'aise dans du mobilier de maison de poupée.

— Ça va. Tant que je ne suis pas forcé d'y rester des heures.

— Je ferai vite, promit Jenny.

Elle trouvait toutefois tellement agréable d'être ici avec Julian, qu'elle aurait souhaité ne jamais revenir à la réalité. L'atelier était sûrement son bâtiment préféré sur le campus et Julian lui permettait d'oublier un peu Elias. Pour l'heure, la dernière chose à laquelle elle avait envie de penser, c'était bien Elias Walsh, le dernier mec dont elle avait fait le portrait. Et qui avait fait le sien, dans les bois. Dessiner son amoureux constituait peut-être un arrêt de mort de la relation, peut-être était-ce comme planter des aiguilles dans une poupée vaudou.

Son crayon hésita un peu sur l'épais papier blanc. L'alchimie qu'elle ressentait avec Julian était-elle uniquement le fruit de son imagination ? Elle n'arrivait pas à se souvenir comment elle avait pu être certaine – totalement, absolument certaine comme elle ne l'avait jamais été de toute sa vie – qu'il y avait quelque chose entre Elias et elle, quelque chose de réel. Puis tout s'était terminé presque aussi vite que cela avait commencé. Certes, elle était triste d'avoir perdu Elias, mais ce qui la rendait encore plus triste, c'était de s'être plantée à ce point dans son jugement. « L'amour n'est pas l'amour qui varie en trouvant que son objet varie ». C'est du moins ce qu'en disait Shakespeare, qui semblait savoir une ou deux choses sur le sujet. Une partie d'elle avait cru qu'elle s'effondrerait si Elias et elle se séparaient – et pourtant, quelques jours après, elle fantasmait déjà à l'idée de se retrouver sur une île déserte avec un autre.

Julian avala un gros morceau de pomme, en prenant à peine le temps de le mâcher.

— C'est la première fois que je viens ici.

Ses yeux balayèrent le haut plafond pentu et l'immense mur vitré.

— Parfois, je m'imagine que je suis une célèbre artiste et que je suis dans mon loft à SoHo, confia Jenny.

Elle recula un peu pour contempler son croquis. Elle avait tracé la silhouette de Julian, affalé avec maladresse et élégance à la fois dans son fauteuil. Les lignes pures du graphite semblaient lui convenir à merveille – si elle avait dû changer de technique, elle aurait perdu de cette spontanéité qu'elle pensait capter en lui. La scène lui donnait l'impression de pouvoir s'évanouir à tout instant : Julian pouvait se lever, s'étirer et s'en aller. La fluidité du crayon rendait tout à fait sa personnalité.

Il posa les yeux sur Jenny, ce qui provoqua en elle un petit électrochoc, à la manière de l'expresso qu'elle avalait le matin lorsqu'elle n'avait pas le temps de prendre un petit-déjeuner complet.

— Sauf qu'ici on voit des arbres, dit-il.

Elle tenta de reproduire les épaules tombantes de Julian, la posture détendue de son corps, qui tranchait avec son énergie presque impossible à transmettre.

— Il y a des arbres à New York, tu sais.

— Ah oui ? fit-il en levant le menton. Genre, quatre ou cinq ?

— Tu n'as jamais entendu parler de Central Park ? demanda Jenny avec incrédulité, en essayant de ne pas sourire.

Son crayon courait littéralement sur le papier.

— Je te signale que ça représente quand même plus de trois cent soixante hectares d'arbres, précisa-t-elle.

Julian s'esclaffa et secoua la tête.

— Pas la peine d'être autant sur la défensive. C'est juste que j'aime les villes avec des espaces verts.

— Tu vas te lancer dans une diatribe anti-New York ? Parce que je ne crois pas pouvoir dessiner quelqu'un qui ne considérerait pas cette ville comme la plus géniale de la planète.

Jenny fit une pause, levant son crayon d'un air menaçant.

— C'est vrai, ça irait à l'encontre de tout ce en quoi je crois, ajouta-t-elle en plaisantant.

— Vu que j'ai déjà annoncé à ma mère qu'on allait faire mon portrait, j'ai intérêt à ne pas tout foutre en l'air.

— Comment pourrais-je décevoir une mère ? soupira Jenny en feignant la résignation et en se remettant à dessiner.

N'était-ce pas adorable qu'il ait parlé à sa mère de sa séance de pose ?

— Tu as vraiment un visage génial, ne put-elle s'empêcher d'ajouter.

C'était vrai. Maintenant qu'elle avait tracé l'ébauche de son dessin, Jenny pouvait enfin se concentrer sur la partie qu'elle avait fait son possible pour éviter de fixer jusque-là : le visage de Julian.

— Très expressif.

— Les filles aiment mon nez cassé, dit-il un peu timidement. Elles me prennent pour un dur.

Jenny souffla sur une mèche pour l'écarter de ses yeux.

— Et ce n'est pas le cas ?

— Ça dépend de ce que tu entends par là.

— Pour moi, être dur, c'est…

Elle éloigna son crayon de la feuille un instant pour y réfléchir. Elle le sentait observer son visage.

—… Ne pas avoir peur de se ridiculiser.

— Alors là, je suis Rambo et Terminator à la fois, rit Julian. Je suis connu pour m'être retrouvé dans des situations grotesques à plusieurs reprises, et, pire encore, ça m'a plu !

Il avait un rire extra, très communicatif – il ouvrait si grand la bouche qu'on pouvait presque voir s'il avait été opéré des amygdales. Elle arracha la première page de son bloc et se lança dans un nouveau croquis. Il fallait absolument qu'elle dessine ce rire – la façon dont tout son corps se secouait avec énergie, joie, pur plaisir de se trouver exactement où il était à ce moment précis. Jenny percevait tout cela à travers son langage corporel et elle était bien décidée à l'immortaliser sur le papier. Elle repensa à la consigne donnée par Mme Silver : révéler quelque chose de la personnalité du sujet. Elle voulait que tous ceux qui verraient le portrait de Julian pensent : *Ah ouais, c'est tout à fait lui !*

— Heu… ça ne te dérange pas si je te dessine quand tu ris ? demanda un peu timidement Jenny. Enfin, tu n'es pas obligé de te marrer tout le temps, mais si tu pouvais essayer, simplement, ce serait super.

— D'abord, tu veux que je m'asseye sur la chaise de petit ours et maintenant il faut que je pose en riant ?

Julian la fixa d'un air incrédule, mais amusé.

— Tu ne m'avais pas prévenu que ce serait aussi difficile !

Là, il éclata à nouveau de rire, et le crayon de Jenny s'activa sur sa feuille.

— Tu va être obligée de me raconter des bonnes blagues.

Elle râla :

— Je suis vraiment nulle pour les blagues. Je rate toujours la chute.

— Eh bien, la taquina Julian, si être un dur c'est ne pas avoir peur de se ridiculiser…

Jenny laissa échapper un gloussement. L'énergie de ce garçon était contagieuse.

— D'accord, dit-elle.

Son cerveau se mit en quête d'une blague pleine d'esprit et de créativité susceptible d'impressionner Julian. Rien ne vint.

— Bon… Monsieur et Madame…

Il partit dans un grand éclat de rire, et la clameur de leur séance sembla s'élever jusqu'au plafond et emplir la salle entière.

Le temps s'écoula à une vitesse folle et ce ne fut que lorsque Julian s'étira pour la quatrième fois et fit une millième mimique pour amuser Jenny, que celle-ci se rendit compte, abasourdie, qu'elle avait complètement oublié la réunion des Femmes de Waverly.

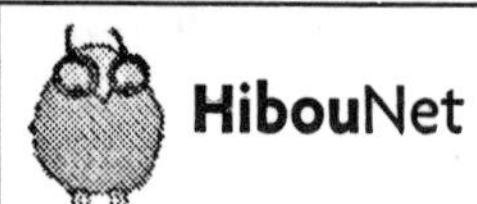

Boîte de Réception

De : TinsleyCarmichael@waverly.edu
À : JulianMcCafferty@waverly.edu
Date : Jeudi 10 octobre 20 : 55
Objet : Heu, y'a quelqu'un ?

J,
Tu as reçu mon e-mail ? Tu te fais désirer ? Eh bien, ça marche...

T.

25

UN HIBOU DE WAVERLY SAIT QUE LES SECRETS CROUSTILLANTS SONT FAITS POUR ÊTRE PARTAGÉS.

Callie bâilla et tenta de se motiver pour s'extirper de son pouf moelleux, mais la vodka ingurgitée pendant la réunion des Femmes de Waverly avait alourdi ses membres – elle abandonna bien vite. Heath était arrivé, comme promis, les bras chargés de cadeaux – trois bouteilles de Stolichnaya, bien enveloppées dans des sweat-shirts et cachées dans son sac à dos. Pour la plus grande joie des participantes, il portait une longue perruque blonde et racontait à tout le monde qu'il était une nouvelle élève en provenance de Suède, Inga. C'était toujours marrant de voir les joueurs de foot se servir d'Halloween comme excuse pour porter des tenues de pom-pom girls et mettre des ballons sous leur sweat-shirt, mais Heath avait incarné une Inga naturelle, avec ses vêtements habituels de garçon et sa sublime chevelure soyeuse, qu'il n'avait pas arrêté de caresser pendant toute la réunion. À 21 h 10, juste avant que Pardee ne commence sa traditionnelle ronde pré-extinction des feux, les Femmes de

Waverly s'étaient dispersées, et les filles avaient abandonné leur pouf à contrecœur.

— Mesdemoiselles, fit Heath en les saluant avec grâce, les cheveux de sa perruque balayant presque le sol. Ce fut un plaisir.

— La voie semble libre, déclara Beth, en se penchant par la fenêtre ouverte de Kara.

Elle rentra et prit une nouvelle gorgée de son thé glacé Arizona arrosé d'alcool.

— Tu ferais bien d'y aller.

À la surprise générale, Beth le serra rapidement dans ses bras, l'air éméché, avant de le pousser sans cérémonie vers la fenêtre. Callie haussa un sourcil. Depuis quand Beth Messerchmidt daignait-elle toucher Heath Ferro le pervers ?

Une fois que Kara eut refermé la fenêtre derrière lui, les autres quittèrent la chambre par grappes, encore tout excitées et un peu pompettes. Le thème de la soirée était l'amour et tout le monde avait eu son mot à dire, surtout lorsque la vodka de Heath avait délié les langues. Mais durant la majeure partie de la réunion, Callie s'était contentée de se blottir dans son pouf en poire en sirotant son verre de limonade Country Time agrémenté d'une larme de vodka. C'était super que Rifat, Benny et Sybille puissent discuter de leurs chéris, de leurs amours et de leurs cœurs brisés et tout ça, mais Callie n'était pas vraiment en position d'évoquer ce qui lui arrivait à *elle*, malgré la pertinence de sa situation actuelle par rapport au sujet soulevé.

— Tu viens, mon chou ?

Benny donna un coup de pied dans le pouf de Callie et s'esclaffa, son épaisse chevelure brune à la brillance parfaite soigneusement repoussée derrière ses oreilles percées d'un petit diamant. Même soûle, Benny parvenait toujours à faire illusion.

Apparemment, c'était un des bienfaits génétiques dont on héritait lorsqu'on descendait quasiment de l'aristocratie.

— Tu devrais monter cuver un peu.

Callie soupira lourdement et tenta de se lever, mais la pièce se mit immédiatement à tourner autour d'elle comme un manège diabolique et elle se laissa retomber sur son siège. Elle posa le dos de sa main sur ses yeux et pria très fort pour qu'on la laisse en paix. Elle entrouvrit les paupières pour voir si Benny allait continuer à l'embêter, mais celle-ci se dirigeait déjà vers la sortie. Callie ne pouvait s'empêcher de s'apitoyer un peu sur elle-même, si soûle et désemparée. Beth et Kara se tenaient près de la porte, très proches l'une de l'autre, en train de se chuchoter des choses à l'oreille. Génial. Elles devaient sûrement se plaindre de la voir si bourrée, et d'être obligées de s'en occuper. Les garces. Mais Beth lui adressa un sourire qui lui parut sincère avant de quitter la chambre.

Callie renifla misérablement et remarqua que son collant gris perle était filé au genou.

— Merde.

Elle tripota l'accroc, en se demandant si elle se l'était fait en s'asseyant sur ce foin puant dans les écuries. Une vague de désir presque insoutenable l'envahit en repensant à cet unique baiser accordé à Elias quelques heures plus tôt, au moment de se séparer. Callie avait dû faire preuve d'une maîtrise d'elle-même pour ainsi dire sans précédent et elle savait que s'il avait été en face d'elle à cet instant, elle se serait jetée sur lui pour le dévorer de baisers. Pourquoi s'être retenue si longtemps ? Il était amoureux - enfin. Et elle l'aimait aussi.

— Pourquoi le reste devrait-il compter ?

— Comment ?

Kara, qui se baissait pour ramasser un gobelet en plastique par terre, se redressa et regarda Callie d'un air interrogateur, ses joues rondes rosies par l'alcool. Callie n'avait pas eu l'intention de s'exprimer à voix haute, mais puisque c'était fait, ce fut comme si le sceau était rompu. Malgré sa langue pâteuse, elle ne put s'empêcher de continuer.

Callie croisa les jambes, pour cacher le trou de son collant.

— Tu sais. Pourquoi l'amour n'est-il pas suffisant ? Pourquoi faut-il que tout le reste ait autant d'importance ?

Kara hocha la tête lentement. Callie ressentit une pointe d'affection pour Kara, qui ne la dévisageait pas comme si elle était folle et ignorait son élocution probablement altérée par l'alcool pour se concentrer sur le fond de sa pensée. C'était adorable. Elle était vraiment adorable.

— Comment ça ? De quel reste tu parles ?

— Tu sais, répéta Callie.

Elle s'enfonça dans son pouf, elle aimait bien le bruit que faisaient les petits haricots (disons, les machins à l'intérieur, quels qu'ils soient) à chacun de ses mouvements pour se déformer à volonté. *Voilà, j'aime qu'on m'obéisse,* songea-t-elle en bonne ivrogne.

— Le reste, c'est quand on cache ses vrais sentiments... et qu'on se voit en secret. Pour ne pas blesser les gens... alors que tout ce qu'on veut, c'est être amoureux.

Elle sentait ses bras s'agiter autour d'elle, comme doués d'une volonté propre, sans que son cerveau ne leur envoie le moindre signal.

Kara se laissa tomber sur une chaise à côté de Callie et posa ses coudes sur ses genoux. Elle portait une tunique chocolat très flatteuse à manches amples sur une jupe noire courte et des collants noirs. Ce n'était pas le genre de look que Callie aurait choisi pour elle, mais ça allait bien à Kara. Elle but une gorgée.

— Attends voir, de quoi tu parles, exactement ? demanda Kara.

Callie écarta une mèche de son visage.

— Hum, il va falloir que tu me jures de ne rien dire à personne, d'accord ?

Les chaleureux yeux brun vert de Kara parurent lui sourire tandis qu'elle hochait la tête avec solennité. Elle rappelait un peu à Callie une fille qui avait été sa meilleure amie en CE1. Alena quelque chose. Elle était sympa, Alena.

— Je le jure.

Callie baissa un peu le menton, sa tête commençait à peser sérieusement lourd.

— Eh bien… Elias et moi, on sort à nouveau ensemble, enfin si on veut.

La bouche de Kara forma un petit « O » de surprise.

— Ouh là !

Elle lâcha un profond soupir. Callie aperçut la chaîne qu'elle portait à la cheville – une fine bande de cuir usée ornée d'un pendentif en forme de symbole de paix.

— Je sais, ça craint un max, poursuivit très vite Callie. À cause de la promesse que j'ai faite à Jenny et tout ça… En plus, je comptais vraiment la tenir.

Elle enfonça ses ongles longs dans ses cheveux.

— Mais c'est trop dur. Je suis encore amoureuse de lui. Alors je devrais lutter contre ça ? Éternellement ?

Elle s'imagina en trentenaire glamour, décoratrice d'intérieur ou rédactrice en chef de haute volée, dans un très chic loft new-yorkais… Elle tiendrait salon chaque semaine, organiserait des soirées où d'exotiques et brillantes stars de cinéma, auteurs, et autres vedettes se retrouveraient pour se soûler, flirter. Un jour, Elias, en artiste dépenaillé et crève-la-faim débarquerait sur le pas de sa porte pour lui annoncer qu'il l'aimait toujours. Même à ce moment-là, elle devrait le repousser ? Ce n'était pas juste.

— Non, répondit Kara avec emphase, surprenant Callie.

Elle ne savait pas trop pourquoi elle avait raconté tout ça à Kara, alors que Jenny et elle étaient vraiment très copines. Mais il y avait quelque chose chez Kara – peut-être son côté torturé ? – qui avait poussé Callie à se confier. Ça, et la vodka. Bien entendu.

— Enfin, il faut tout de même que tu fasses preuve d'un peu de délicatesse, évidemment, parce qu'il y a pas mal de personnes impliquées, poursuivit Kara en haussant ses frêles épaules. Mais si vous êtes amoureux... Ça ne se contrôle pas, hein ? On ne choisit pas vraiment les gens dont on tombe amoureux. Et il n'y a pas de quoi avoir honte, finalement.

— Absolument, acquiesça Callie.

Elle leva sa bouteille de limonade et elles trinquèrent en gloussant, comme deux poivrotes.

— Tu vois, il n'y a pas tellement de choses qui comptent dans la vie. Mais l'amour en fait partie, affirma-t-elle.

On aurait dit les paroles d'une chanson ringarde – ou les élucubrations d'une droguée.

— Tu sais...

Kara s'éclaircit la gorge après avoir bu un peu.

— ... Moi aussi je vois quelqu'un en secret.

Ce fut au tour de Callie d'être déconcertée.

— Ne me dis pas que c'est Heath Ferro, je t'en supplie !

Il était resté assis à côté de Kara toute la soirée, ses yeux exorbités rivés sur elle, un peu comme s'il avait passé son temps à l'imaginer nue. Si elle était forcée d'écouter Kara lui parler de son amour pour ce taré, elle en vomirait. Il fallait pourtant bien se rendre à l'évidence, ça n'allait sûrement pas tarder, quoi qu'il arrive.

Kara rit.

— Ce n'est pas Heath. Mais tu dois me promettre que tu n'en parleras à personne, d'accord ? Parce que ce serait franchement... gênant si ça se savait.

Callie hocha la tête avec autant de sérieux que le lui permettait son état d'ébriété. Son ventre commençait déjà à gargouiller et elle savait – malheureusement – d'expérience que dès lors que la question de vomir se posait, il fallait s'attendre à une réponse imminente.

— C'est... euh... Beth.

OUH LÀ !!!

26

UN ANCIEN ENNEMI PEUT SOUVENT DEVENIR LE MEILLEUR ALLIÉ D'UN HIBOU.

Brandon hésita devant la porte d'Elias, ne sachant trop quoi faire. Il détestait profondément Walsh – à cause de la manière dont il avait fondu tel un vautour sur Callie pour la lui enlever, avant de la jeter pour la jolie petite Jenny Humphrey, qu'il larguait à son tour aujourd'hui. Il haïssait tout en lui, y compris ses jeans toujours *si parfaitement* éclaboussés de peinture, rappelant au monde entier qu'il était *artiste*. Tout chez lui paraissait tellement naturel – cela rendait Brandon complètement dingue.

Pourtant, ils avaient établi un genre de cessez-le-feu lorsque Brandon l'avait croisé dans les bois un peu plus tôt dans la semaine. Elias lui avait même demandé conseil – comme s'il ignorait que Brandon n'attendait qu'une chose : que Walsh se fasse renvoyer pour pouvoir lui dire adieu à jamais. Si Walsh pouvait agir en grand seigneur et faire appel à Brandon, alors ce dernier ne lui laisserait pas le monopole de la maturité. Il frappa à la porte d'un air résolu.

— Ouais ? lança une voix étouffée.

Brandon ouvrit la porte et demeura sur le seuil, mal à l'aise. Elias était allongé sur son lit défait, les mains sous la tête, à regarder le plafond. Brandon, par réflexe, jeta un coup d'œil dans cette direction pour voir si par hasard, il y avait quelque chose à y voir – un poster cochon ou bien des étoiles phosphorescentes, mais il n'y avait rien.

— Salut.

Brandon toussa.

— T'es occupé ?

— Franchement mec, est-ce que j'ai l'air occupé ?

Brandon se hérissa un peu, mais Elias pencha la tête sur le côté et lui sourit. S'il était surpris de le trouver là, il n'en laissa rien paraître. Heureusement, Alan St Girard, son coloc accro à l'herbe, n'était pas là, sûrement avec sa nouvelle copine, Alison Quentin, qui était trop bien pour lui.

— Oh, tu sais, tout le monde ne travaille pas de la même façon, dit Brandon avec un haussement d'épaules, en essayant de se montrer aussi détendu qu'Elias.

— Je te rassure, je ne bosse pas du tout.

Elias se mit sur le flanc, appuyé sur un coude. Il portait son éternel jean taché de peinture et un tee-shirt qui semblait avoir été blanc autrefois – il y avait très, très longtemps de cela. L'harmonica de Bob Dylan couinait sur les enceintes de l'iPod.

— Quoi de neuf ?

— Je ne sais pas trop, répondit Brandon.

Il se fit une place en posant sur le bureau déjà submergé, le cahier qui était sur la chaise et s'assit. Il était super gêné. Il allait demander des conseils sur les filles à Walsh ?

— Il y a cette… fille. Elle me rend dingue.

Elias hocha la tête doucement.

— Celle de la soirée ? La veste en cuir ? Le Tibet Libre ?

Brandon sentit son torse se gonfler d'orgueil.

— Oui, Elizabeth. Elle est géniale, mais un peu dure à cerner, tu vois ?

Brandon jouait avec le bouton de manchette de sa chemise à rayures bleu marine Banana Republic.

— En fait, elle est un peu comme toi – c'est un, comment dire, un *esprit libre*. Du genre qui ne veut pas se sentir prisonnière.

— Alors tu veux mon avis sur la question ?

Elias se frotta la nuque, l'air un peu surpris.

Brandon se mordit l'intérieur de la joue.

— Heu… Ouais. Je l'aime beaucoup. Je veux sortir avec elle. Mais je ne voudrais pas la faire fuir, ni rien.

— Eh bien, si elle est comme moi, il te suffit de la laisser être telle qu'elle est.

Elias s'assit et posa ses deux pieds sur le sol. Ses chaussettes blanches étaient toutes deux trouées aux orteils. Ses parents ne lui offraient donc pas des lots de chaussettes à Noël, comme tout le monde ? Et si ce n'était pas le cas, était-ce si compliqué de se les acheter soi-même ?

Brandon s'arracha à la contemplation des trous dans les chaussettes d'Elias. Il balaya la pièce du regard, compta cinq gobelets en carton provenant de la cafétéria – il les reconnaissait au petit hibou bordeaux imprimé sur fond blanc. Elias ou son coloc avait un problème avec le café. Et l'un comme l'autre avaient un problème de propreté. Il essaya de se concentrer sur ce que disait Elias.

— Je ne veux surtout pas qu'elle soit différente de ce qu'elle est – je veux qu'elle reste exactement telle que je l'ai connue.

— Alors c'est cool. À mon avis, il faut juste que tu prennes ça tranquillement. Ne lui mets pas la pression. Les gens comme moi sont sur la défensive quand on essaye de les faire changer.

Elias bâilla énergiquement, révélant deux plombages dans ses molaires.

— Mais quand on est amoureux, qu'il s'agisse de moi, d'Elizabeth, ou de je ne sais qui, on peut avoir envie de changer. Il suffit d'en arriver là.

Brandon hocha la tête lentement.

— Ça paraît logique.

C'était une des plus longues conversations qu'il ait eue avec Walsh. Peut-être n'était-il pas si horrible, après tout. Il avait l'air plutôt cool, disposé à l'aider. Peut-être qu'il était simplement meilleur pour donner des conseils sur les filles que pour les mettre en pratique lui-même.

— Je vais lui laisser tellement d'espace pour s'épanouir et être elle-même qu'elle ne saura plus quoi en faire.

Ça pouvait marcher. Il n'avait pas eu tellement de chance avec les filles jusque-là. Mais avec la philosophie amoureuse de Walsh, il arriverait peut-être à quelque chose ?

— Xbox ? proposa Elias en s'emparant d'une manette et en désignant sa télévision.

— Non merci, j'ai deux trois conneries à faire.

Il venait de se rendre compte qu'il avait envie d'envoyer un e-mail à Elizabeth – rien d'extravagant, juste un petit mot pour lui faire savoir qu'il avait compris son message, et qu'il n'y avait pas de problème. Et pourquoi pas ? Il n'y avait pas plus ouvert d'esprit que lui.

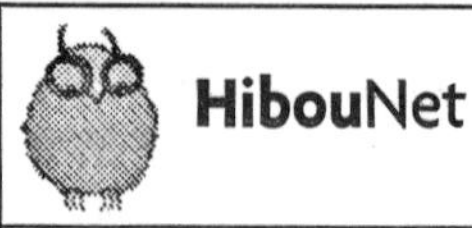

HibouNet

Messages instantanés
Boîte de réception

SybilleFrancis :	Bizarre, hein, que Tinsley n'ait pas assisté à cette réunion ? Elle ne devait pas savoir qu'il y aurait à picoler.
AlisonQuentin :	Moi j'ai trop bu, c'est clair. Ça ne m'aurait pas fait partager.
SybilleFrancis :	Je n'arrive pas à croire qu'on ait une autre fête demain soir.
AlisonQuentin :	Sans déconner : comment Tinsley a pu réussir un coup pareil ???
SybilleFrancis :	Tu crois qu'elle a donné un petit quelque chose à Marymount en échange ?
AlisonQuentin :	Arrête, je vais vomir !!

HibouNet

Messages instantanés
Boîte de réception

JennyHumphrey :	Comment s'est passé la réunion ? Désolée de l'avoir ratée – j'étais à l'atelier, j'ai perdu la notion du temps.
BethMesserschmidt :	Disons que la vodka de Heath ne nous a pas fait de mal...
JennyHumphrey :	La soirée Septième Art paraît cool, non ?
BethMesserschmidt :	Oui, si on fait abstraction du fait que c'est Cruella d'Enfer qui mène la danse. D'ailleurs aux abonnés absents ce soir.
JennyHumphrey :	Elle s'est peut-être trouvé un mec. Le pauvre !
BethMesserschmidt :	Allez, je vais voir si Kara a besoin d'aide pour ranger.
JennyHumphrey :	Amuse-toi bien !!

27

UN HIBOU DÉTERMINÉ N'HÉSITE PAS À PRENDRE LES CHOSES EN MAIN.

Tinsley Carmichael avait fait les quatre cents coups à Waverly – ce qui incluait le plus souvent de l'alcool, parfois de la drogue et impliquait presque toujours des garçons – mais jamais elle ne s'était glissée en douce dans la chambre d'un mec – du moins, jamais seule. Et sûrement pas dans la chambre d'un *troisième*, même lorsqu'elle était elle aussi en troisième. Mais à circonstances désespérées, mesures désespérées. Vers 21 heures, au moment où la réunion des broute-minou touchait à sa fin, Tinsley enfila un jean noir Citizen, ferma soigneusement sa grosse polaire noire Patagonia par-dessus son tee-shirt blanc fin comme un mouchoir, de façon à pouvoir se fondre dans l'obscurité ; ce serait sa cape d'invisibilité. Lorsqu'elle se laissa tomber par la fenêtre du rez-de-chaussée, et que ses chaussures de randonnée végétaliennes très rarement utilisées (cadeau de Noël de son père, végétarien) s'enfoncèrent dans la terre boueuse, elle ressentit un frisson d'excitation. Certes, elle n'était pas exactement obligée de passer par la fenêtre, puisque ce n'était pas encore l'heure du couvre-feu... Mais se la jouer hors-la-loi rajoutait un peu de piment à la situation.

Wolcott, le dortoir des garçons de troisième, était situé après la résidence Richardson. Tinsley trouvait les circonstances doublement amusantes : non seulement elle s'apprêtait à entrer en douce chez un garçon, mais en plus elle avait choisi un *troisième*, malgré tous les terminales dignes de ce nom plus que motivés pour lui ouvrir leur fenêtre. C'était précisément la raison pour laquelle elle était encore plus impatiente de retrouver Julian alors que lui, pour une raison indéterminée, lui avait fait faux bond les deux fois précédentes : elle avait l'impression qu'il la comprenait, en fait. Sachant à quel point elle se lassait facilement, il lui imposait un défi.

Une fois devant sa fenêtre, elle tenta de regarder à l'intérieur, mais ne parvint pas à voir au-dessus du rebord. Une lumière était allumée, le store à moitié tiré. Tinsley brisa une branche fine à un arbre tout proche et se haussa sur la pointe des pieds, pour taper doucement contre la vitre. Un visage apparut et la fenêtre s'ouvrit – mais ce n'était pas Julian.

C'était un jeunot à cheveux gras qui tentait clairement de paraître plus âgé que son âge en se laissant pousser la barbe. Malheureusement, son visage n'était pas tout à fait prêt et la pousse était pour le moins clairsemée. Il faillit se décrocher la mâchoire en la voyant.

— C'est quoi ce...

Tout à coup son œil s'alluma.

— Hé ? C'est toi... hééééééé !

Il fut interrompu par Julian, qui le poussa pour regarder à son tour de quoi il s'agissait. Il paraissait agité, pour ne pas dire plus.

— Salut. Quoi de neuf ? Qu'est-ce que tu... fais là ?

Pas exactement la réaction qu'elle attendait. Tinsley se redressa, un peu vexée. Il ferait peut-être mieux de laisser la place à son coloc – tout abruti qu'il était, il avait au moins eu le bon goût de manifester sa joie en la voyant. Tinsley recula d'un pas.

— J'ai eu envie de passer te voir, répondit-elle d'un ton glacial. Mais si tu es occupé, laisse tomber. Je te verrai à un autre moment.

Un sourire fendit le visage de Julian.

— Ce n'est pas ce que je voulais dire, répliqua-t-il.

Il jeta un coup d'œil par-dessus son épaule et se pencha en avant.

— Écoute, va vers la fenêtre au coin, d'accord ? Il y a un type qui a quitté l'école cette semaine, sa chambre est vide. Je t'y retrouve dans trente secondes, ok ?

Tinsley sourit faiblement.

— Ok.

Il allait devoir se rattraper à grand renfort de bisous après un tel accueil. Mais elle ne put s'empêcher de se sentir tout excitée en marchant furtivement le long du mur. Presque immédiatement, la quatrième fenêtre s'ouvrit et Julian lui tendit la main pour la hisser à l'intérieur.

— Merci.

Elle épousseta son jean en observant la chambre individuelle plongée dans l'obscurité. Elle était complètement vide, à l'exception des meubles basiques fournis par l'école : bureau, commode, table de chevet, lit.

— Il s'est fait renvoyer ?

— Nan, répondit Julian en secouant la tête.

Déçue, Tinsley constata qu'il s'asseyait sur la chaise du bureau. S'il voulait jouer à ce petit jeu, parfait. Elle se percha sur le bureau et laissa pendre ses pieds sans le toucher. Pourquoi ne lui sautait-il pas dessus ? Voulait-il juste l'allumer un peu ? Et depuis quand les troisièmes avaient-ils ce genre de talent ? Elle était un peu perdue, mais aussi déterminée à ne pas céder et à lui demander des comptes. S'il prétendait s'en moquer, alors elle aussi.

— C'est une drôle d'histoire, reprit-il en se balançant sur sa chaise. Je crois qu'il avait une copine chez lui, dans le Montana, et ils se parlaient au moins dix heures par jour. Il me semble qu'il avait déjà fait deux allers-retours chez lui depuis la rentrée. Bref. Il a fini par laisser tomber l'école. Il a dû repartir dans le Montana.

— Pour une fille ? demanda Tinsley, incrédule, en haussant les sourcils.

Certes, ce type avait l'air d'être un sacré loser. Mais tout de même, l'histoire avait quelque chose de charmant. Elle balança ses jambes, en tentant d'effleurer Julian. Mais il était un peu trop loin.

— Ça devait être une bombe, remarqua-t-elle.

Il rit.

— Ce n'est pas le seul critère.

Tinsley fit mine d'être étonnée.

— Ah bon ? Et quels sont les autres ?

— Je ne sais pas…

Julian bâilla et se leva. Il paraissait anxieux, comme s'il ne savait pas trop quoi faire. Il approcha du placard, ouvrit la porte et scruta l'espace vide à l'intérieur.

—… Par exemple, c'est agréable d'avoir quelqu'un avec qui on est à l'aise pour discuter.

Il entra dans le placard, plaça ses mains sur la barre, plia les genoux, comme pour faire une traction.

— Il y a quelque chose de très… sexy à discuter avec une fille, tout simplement.

— Je suis d'accord, répondit-elle.

Alors voilà ce que signifiait cette distance. Elle était surprise de ne pas y avoir pensé plus tôt. Julian voulait davantage de communication entre eux. Elle repensa à leurs derniers rencards et se rendit compte à quel point ils avaient été physiquement agressifs – ils avaient passé leur temps à se peloter, pour résumer. Le soulagement se propagea dans ses veines. Elle savait quel était le problème, et comment le régler. Apparemment, il était le type sur cent mille qui préférait les discussions aux baisers. Ou du moins les discussions avant les baisers. Eh bien, c'était justement ce qu'ils étaient en train de faire, non ? Tinsley lâcha un petit soupir satisfait et s'allongea sur le bureau, les yeux plongés dans le bleu marine du ciel.

— Qu'est-ce qui compte d'autre pour toi ? Chez une fille, je veux dire ?

Julian sortit du placard, expira pensivement, puis se pencha pour nouer son lacet. Lorsqu'il se releva, il avait les joues un peu rouges.

— Elle doit savoir me faire rire… Et ne pas avoir peur de se ridiculiser.

Elle lui sourit avec un air de sainte nitouche. Il essayait visiblement de lui dire quelque chose avec ce genre d'affirmation – par exemple, qu'il fallait qu'elle se jette sur lui, pour une fois. Elle descendit du bureau, elle avait presque la tête qui tournait et se demandait si ce ne serait pas une bonne idée de rendre leur relation publique, finalement… Elle approcha de lui tout doucement, appréciant la façon dont il regardait ses hanches qui se balançaient. Ah, voilà qui était mieux, tout de même.

Parler, rire, c'était bien beau, mais il n'y avait tout de même pas que ça, dans une relation.

À l'instant où elle allait étendre ses bras pour les passer autour de son cou, une sirène stridente retentit dans le calme de la nuit, les faisant s'écarter d'un bond. Tinsley leva des yeux incrédules vers la lumière rouge qui clignotait à l'angle de la pièce – alerte incendie. L'odeur âcre du pop-corn brûlé lui piqua soudain les narines.

— Merde, fit Julian en la poussant vers la fenêtre. Il faut que tu sortes d'ici – tout de suite.

— Embrasse-moi avant.

Elle se mit à califourchon sur le rebord de la fenêtre, et attendit. Par-dessus les hurlements de l'alarme, elle entendait les garçons de troisième qui se bousculaient dans le couloir. À tout moment, ils pouvaient se retrouver à l'extérieur et ce serait trop tard.

— Dépêche-toi, siffla-t-elle.

Julian pressa ses lèvres contre les siennes pour un baiser rapide, mais avant qu'il ait eu le temps de reculer, elle l'embrassa passionnément, en tenant fermement sa tête entre ses mains. Après quelques secondes, elle s'écarta, satisfaite et se laissa tomber sur le sol. Elle fonça, non sans avoir jeté un dernier coup d'œil pour voir s'il la regardait partir.

Malheureusement, ce n'était pas le cas.

HibouNet Boîte de réception

De : BrandonBuchanan@waverly.edu
À : ElizabethJacobs@stlucius.edu
Date : Jeudi 10 octobre, 21 : 20
Objet : *New York-Miami*, demain ?

Elizabeth,
Le cinéclub de Waverly organise une projection en extérieur de *New York-Miami* à 19 heures demain soir à la ferme Miller, à Rhinecliff. Je ne sais pas si tu peux t'échapper de ton campus, mais ça devrait être sympa (pop-corn, vieux film et bière – que demander de plus ?)
À propos de ce que tu me disais aujourd'hui – je comprends. J'aime être avec toi et tes conditions me conviennent tout à fait, quelles qu'elles soient, d'ailleurs. Appelle-moi Monsieur Ouverture d'esprit !

En espérant te voir demain...
Brandon

HibouNet

Messages instantanés
Boîte de réception

BethMesserschmidt :	Je viens de t'envoyer la photo par e-mail. Tu l'as ouverte ?
HeathFerro :	Tu m'étonnes ! Ça c'est du gros plan – je n'arrive pas bien à voir de quelles parties du corps il s'agit, cela dit.
BethMesserschmidt :	Et alors, elle ne te plaît pas ??
HeathFerro :	Tu veux rire ? J'adore ! C'est le truc le plus sexy que j'aie jamais vu – je veux dire à part vous deux en chair et en os. Je sens que je vais faire de beaux rêves ce soir.
BethMesserschmidt :	Excellent. Tu peux t'attendre à en recevoir des tas d'autres tant que tu n'ouvres pas la bouche.
HeathFerro :	Promis, juré, craché. Dis-moi juste un truc : c'est un nombril que je vois ?

28

UN HIBOU DE WAVERLY NE PREND JAMAIS LES CRITIQUES TROP À CŒUR.

— J'ai une surprise pour vous aujourd'hui, mes petits choux, annonça Mme Silver au début du cours de dessin, vendredi après-midi. Vous avez tous travaillé très dur, alors au lieu d'un cours normal, j'ai pensé qu'on pourrait faire une petite présentation. Accrochez tout ce sur quoi vous avez travaillé – ou disons vos trois œuvres préférées de ces dernières semaines – pour qu'on puisse tous constater l'étendue de votre talent.

Le regard pétillant, elle leur désigna un gros Tupperware posé sur son bureau.

— Et prenez donc une pâtisserie !

— Elle essaye toujours de nous engraisser… marmonna Alison avec bonne humeur en saisissant un petit gâteau au chocolat saupoudré de vermicelles de couleur vive.

Elle lécha le bout de son pouce, couvert de sucre.

— … Exactement comme Hansel et Gretel.

— Tu n'as pas trop à t'inquiéter, commenta Jenny.

Alison faisait moins d'une taille zéro. Jenny prit une pâtisserie décorée d'un glaçage poisseux de couleur rose et la posa sur son bureau.

— Allez, on accroche d'abord, on mangera après. Sinon tu vas faire des taches sur ton joli dessin d'Alan.

Alison pouffa.

— C'est pour le cours de dessin de la silhouette. Tu crois qu'on peut les exposer dès maintenant ?

Jenny hocha la tête.

— Évidemment. De toute façon, on doit les rendre aujourd'hui.

Elle feuilleta la pile de croquis sur son bureau. Ceux de deux cours, portrait et silhouette, étaient mélangés. Elle extirpa un portrait d'Alison à la craie grasse réalisé quelques jours auparavant. Puis elle choisit deux des dessins terminés la veille : un de Julian maladroitement perché sur le fauteuil, prétendant être à l'aise et l'autre, où on le voyait rire, tête en arrière. Rien qu'à les regarder, Jenny avait envie de sourire.

— Comment tu savais que j'avais choisi Alan comme modèle ? demanda soudain Alison, déroulant une feuille de papier journal.

— Le flair.

Jenny lui donna un petit coup de hanche au passage et approcha des murs blancs crasseux, maculés de centaines d'impacts de punaises, vestiges des précédentes présentations. Elle essaya de ne pas regarder l'étagère d'Elias, avec son étiquette mal écrite, et d'éviter de se demander qui il avait choisi pour son dessin de silhouette.

Lorsque les filles eurent fixé leurs œuvres au mur, elles reculèrent pour les admirer. Le dessin d'Alison était un fusain d'Alan, l'air rêveur, allongé sur le flanc et arborant un doux sourire de défoncé.

— Il est vraiment bien, déclara Jenny en penchant la tête objectivement. Alan a l'air adorable.

— Il l'est, roucoula Alison à voix basse. J'adore le tien aussi, Julian paraît si… heureux.

Après avoir récupéré leurs gâteaux, les filles firent le tour de la salle, pour passer en revue les portraits avec attention. Elles approchaient pour scruter les coups de pinceaux, les lignes, reculaient pour en capter l'effet général. Jenny avait l'impression d'être une de ces vieilles dames qui visitent toujours les musées d'art par deux et ont constamment quelque chose à dire sur Monet ou Hopper. Comme le sucre de leur pâtisserie commençait à se répandre dans leurs veines, et qu'Alison et Jenny félicitaient leurs camarades pour leur travail. Jenny se sentait détendue, heureuse. Mme Silver avait mis un vieux disque de la Motown, qui donna un léger balancement à son pas.

Elle souriait sans arrêt en repensant que la veille, Julian et elle s'étaient retrouvés ici, seuls, à flirter et à rire. Cela conférait au bâtiment d'arts plastiques une charge affective, c'était comme si elle savait quelque chose de lui que tous ignoraient. Penser à Julian suffisait à la ragaillardir. Elle se demandait à quoi aurait ressemblé cette semaine si elle n'avait pas eu ce garçon pour la distraire. Il avait clairement réussi à lui faire oublier Elias, Callie, et tout le reste, lui rappelant combien il était agréable de vivre à Waverly, d'être une artiste et d'exister.

— Ouah, souffla Alison. Regarde ça.

Jenny n'eut pas besoin de regarder la signature brouillonne dans le coin de la peinture suivante, posée sur un chevalet, l'huile encore fraîche et luisante, pour reconnaître le style d'Elias. On avait du mal à déterminer ce que cela représentait, exactement. C'était abstrait, et radicalement différent des autres travaux exposés. Jenny éprouva une petite pointe de fierté pour lui – Elias était indiscutablement un excellent artiste. Le tableau représentait un système difficile à définir de volutes et d'épais coups de pinceaux, dans les tons de rose, pêche, vert pâle, mais parvenait d'une certaine façon, à conférer une impression de portrait, de quelque chose ou quelqu'un.

— Il a un talent fou, lui accorda Jenny.

Au même moment, une forme familière juste à la droite du tableau attira l'œil de Jenny et, toujours à la manière d'une vieille dame au musée, elle plissa les yeux et approcha. C'était une marque en forme de fraise, qui lui rappelait quelque chose, mais plus elle se concentrait, moins elle parvenait à l'identifier. Elle essaya de se défaire de cette idée. Peut-être que cela lui rappelait tout simplement une fraise.

— Jenny ? Peux-tu venir une seconde, s'il te plaît ?

Elle se retourna en entendant le son de la voix de Mme Silver et la vit qui se trouvait devant ses dessins de Julian. Elle s'empressa de la rejoindre. Le professeur posa une de ses mains grassouillettes sur son épaule.

— Je voudrais juste te féliciter mon petit. La pose choisie pour ton modèle souligne parfaitement sa très grande taille. De plus, tu as voulu représenter un instant particulier, une chose aussi éphémère et difficile à capter que le rire, et tu y es parvenue de façon tout à fait exemplaire.

— Vraiment ?

Jenny sentit ses joues rosir de fierté. Elle était ravie de voir son travail complimenté par Mme Silver qui, quoique toujours encourageante, ne manquait jamais de sincérité dans ses félicitations. Elle ne disait que ce qu'elle pensait.

— Oh oui, insista-t-elle en lui pressant l'épaule. Ce dessin parvient à saisir le rapport que tu as avec ton sujet.

Elle tapota ses frisettes grises d'un air absent, rechercha sur son oreille un crayon qui ne s'y trouvait pas. Elle fixa ses yeux bleu-gris sur Jenny.

— Cela révèle aussi à quel point tu tiens à lui. C'est absolument merveilleux d'être capable de traduire cette émotion en art.

Mme Silver conversa encore quelques minutes avec elle, lui adressant une critique formelle concernant ses lignes, contrastes et perspectives. Jenny prit des notes sur son bloc de dessin, mais son cerveau était toujours en pleine confusion.

Son portrait de Julian montrait à quel point elle tenait à lui ? Vraiment ? Eh bien, voilà qui était intéressant. Elle avait toujours considéré l'art comme une fenêtre donnant sur son âme. C'était peut-être vrai…

Boîte de réception

À : destinataires inconnus
De : HeathFerro@waverly.edu
Date : vendredi 11 octobre, 13 : 45
Objet : Faites chauffer les moteurs

Salut aux amateurs du Huitième Art (celui de la fête !!)
J'ai pris la liberté d'organiser un service de navettes au départ du portail jusqu'à la ferme Miller, au nom de notre gracieuse hôtesse, la toujours charmante et sexilicieuse Tinsley, qui a si gentiment organisé cet événement. Boissons gratuites incluses.
Les voitures s'organisent comme suit :
La mienne : Kara / Beth / moi
Puis : Callie / Benny / Jenny / Sybille
Puis : Elias / Alan / Alison / Brandon
Tous les autres pauvres malheureux devront se débrouiller seuls.
Hé, Tinsley, qui veux-tu prendre dans ta voiture ? J'ai une autre bagnole extra spéciale rien que pour toi et tes intimes, en guise de remerciement pour avoir rendu cette fête possible.

Youpi !!!
H.F.

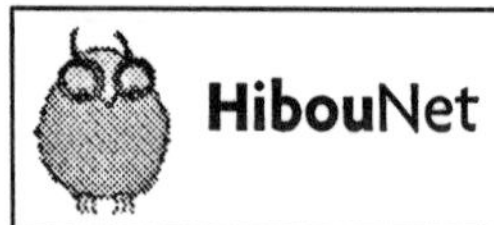

Messages instantanés
Boîte de réception

TinsleyCarmichael :	Devine quel est le veinard qui aura la chance de venir avec moi dans la bagnole à waterbed que m'a dénichée Heath ?
JulianMcCafferty :	Ça existe, une voiture avec un waterbed ?
TinsleyCarmichael :	Attends ?! C'est tout l'effet que ça te fait ? Tous les mecs de Waverly vont baver de jalousie en te sachant avec moi. Prépare-toi à signer des autographes !
JulianMcCafferty :	J'ai hâte d'assister à la projection.
TinsleyCarmichael :	Mon chéri, je te garantis que tu ne verras rien du film. En revanche, tu vas en vivre un ! Retrouve-moi en bas dans une heure.
JulianMcCafferty :	D'accord.

29

MÊME BOURRÉ, UN HIBOU DE WAVERLY SAIT TENIR SA LANGUE.

— Ouah ! cria Jenny lorsque la voiture, prenant un virage serré, fit glisser Callie sur le siège en cuir jusqu'à elle.

Callie leva les mains, dans un effort pour s'arrêter, mais elles atterrirent par inadvertance sur les seins de Jenny ; cette dernière en renversa son verre de vodka. Jenny rougit – elle était contente que Callie et elle se rapprochent mais, là, c'était un peu exagéré.

— Excuse-moi, Jenny.

Callie s'écarta en remettant en place sa minijupe en laine à carreaux Nanette Lepore. Elle serra l'un contre l'autre ses jambes habillées de collants noirs – elle avait tenu à porter une jupe bien que Jenny lui ait répété qu'elle aurait froid. D'ailleurs, même à l'arrière de la limousine bien chauffée, Jenny la voyait frissonner.

— Je ne voulais pas te peloter.

— T'en fais pas, répondit Jenny en épongeant la vodka qui s'était renversée sur son jean noir Paige.

Elle était en fait plutôt soulagée de ne pas être forcée de boire un verre supplémentaire – cela aurait été son troisième depuis leur départ de l'école.

— On ne peut pas vraiment les rater, ajouta-t-elle en baissant les yeux vers ses seins, qui avaient pourtant l'air inoffensifs sous le cachemire vert torsadé que son père lui avait fait parvenir le matin même par la poste, en lui recommandant de profiter les couleurs d'automne.

— Passe la bouteille, cocotte !

Benny Cunningham donna un petit coup de la pointe de sa bottine dorée Sigerson Morrison sur le mollet de Callie. Celle-ci s'empressa de se servir de la vodka, non sans en mettre un peu à côté, avant de passer la bouteille à Benny. Jenny jeta un coup d'œil à ses bottines, en songeant qu'elles devaient coûter plus que sa tenue complète. Elle se demanda l'espace d'un instant, si elles étaient en or.

Les shots de vodka dans la limousine entre le portail de Waverly et la ferme Miller, c'était une idée de Callie. « Le trajet est court, il faut en profiter au maximum ! » s'était-elle écriée. Il ne restait plus qu'un fond dans la bouteille, et les quatre passagères commençaient à en ressentir les effets.

— *Chicas* ! Je crois qu'on y est, s'exclama Sybille Francis en vidant les dernières gouttes d'alcool transparent.

Ses cheveux blonds étaient tirés en une queue-de-cheval soignée qui rebondit lorsqu'elle ouvrit la porte de la limousine pour permettre aux filles de poser le pied sur l'allée en terre battue ; Jenny s'étira – les limousines étaient tout à fait luxueuses, mais un peu exiguës.

Elle prit une grande bouffée d'air frais, qui chassait une odeur de feuilles brûlées et de tarte au potiron. Le soleil venait de se coucher, et des groupes de jeunes gens en gros pull s'agglutinaient autour de ce qui devait être des tonnelets de bière, ou bien s'allongeaient sur des couvertures à carreaux sur l'herbe rêche et jaunie. Jenny caressa ses cheveux. Elle avait tressé quelques mèches parmi ses longues boucles.

Elle s'éloigna de la voiture avec précaution, en essayant d'évaluer son niveau d'ébriété à la façon dont ses bottes frappaient le sol. Ces bottes étaient arrivées dans le même colis que le pull, un cadeau de Vanessa, la copine de son frère étudiante à l'Université de New York, qui avait élu domicile dans l'ancienne chambre de Jenny. Le mot disait qu'elles provenaient d'un surplus de l'armée à Dumbo et elles en avaient tout à fait l'air – en cuir kaki foncé, à lacets, orné de divers badges militaires. Totalement cools et uniques, tout à fait le genre de choses que Vanessa estimait nécessaire pour que Jenny ne se « Ralph Laurenise » pas trop au pensionnat. Ce qu'elle préférait c'était leur semelle très épaisse. Avec ça aux pieds, Jenny se sentait presque grande. Ou disons, moins minus.

Benny lui pointa un doigt dans le dos.

— La bière est sûrement par là-bas.

Elle désigna une foule rassemblée d'un côté de la pittoresque grange rouge. Mais Jenny, s'estimant déjà trop éméchée, demeura un peu en retrait, pour contempler la scène. La grange s'élevait face à un vaste espace dégagé ; les images en noir et blanc du film tremblotaient déjà sur un des murs décrépis. L'effet était plutôt cool – Jenny n'était jamais allée dans un drive-in, mais elle imaginait que ce qu'ils avaient là était encore mieux. Elle repéra Alan St Girard et Alison assis sur une des dizaines de bottes de foin dispersées sur l'herbe. Alison avait les jambes étendues sur les genoux d'Alan qui coinçait un brin d'herbe derrière son oreille. Contre toute attente, Jenny ressentit un pincement de jalousie – elle aurait voulu avoir quelqu'un qui la regarde comme ça et la chatouille avec du foin.

Ses yeux passèrent en revue toutes les grandes silhouettes dans la foule ; surprise, elle se rendit compte qu'elle ne cherchait pas Elias, mais Julian.

— Dites quelques mots devant la caméra, mesdemoiselles !

Ryan Reynolds venait de surgir de nulle part, un caméscope numérique argenté de la taille d'un portefeuille collé au visage.

Sybille fit une moue de ses lèvres outrageusement glossées et prit la pose.

— Y'a des priorités, idiote, intervint Benny.

Celle-ci l'attrapa par le poignet et l'entraîna vers la grange, où la foule se faisait plus nombreuse autour du tonneau.

— La bière d'abord, on drague après.

Ryan se fondit parmi l'assistance, déçu. Jenny traîna un peu en arrière avec les autres ; elle se sentait mal à l'aise. C'était sympa de la part de Callie, Benny et Sybille de l'inclure dans leur petit groupe – elle avait bien senti tous les regards se braquer sur elles au moment de leur descente de voiture, comme si elles étaient spéciales. Comme si elle, Jenny, était spéciale. C'était plutôt agréable – mais en même temps, où était Beth ? Elle avait besoin de quelqu'un de réel à qui parler.

Une autre limousine noire s'immobilisa dans l'allée en terre battue, dans d'énormes nuages de poussière. Jenny vit avec soulagement Kara, Beth et Heath en sortir, gloussant comme des écolières. Heath portait sa perruque blonde de l'autre soir, il mit un bras autour des épaules de ses cavalières et murmura quelque chose à l'oreille de Beth ; celle-ci éclata de rire, rejetant sa crinière rousse en arrière.

— Bon, je suis la seule à trouver super bizarre que Beth et Heath sortent ensemble, ou quoi ? voulut savoir Benny en déboutonnant sa veste d'équitation en velours noir. Je croyais qu'elle le détestait.

Jenny vit Callie rouler des yeux, trébucher légèrement sur le sol inégal, avant de se rattraper très vite et faire comme si de rien n'était.

— Hum... Je ne crois pas que ce soit avec Heath qu'elle sorte, si tu vois ce que je veux dire.

Benny et Sybille se regardèrent, mais Jenny se dépêcha de détourner les yeux. Attendez voir. Callie était aussi au courant pour Beth et Kara ? *Comment* ? Et pourquoi était-elle en train de tout déballer à Benny et Sybille ? Elles n'avaient peut-être pas compris. Ou bien elles mettraient ça sur le compte des divagations d'une fille bourrée.

Mais si elle en croyait l'expression sur le visage de Benny, celle-ci avait bel et bien compris à quoi Callie faisait allusion.

HibouNet Boîte de Réception

À : BrandonBuchanan@waverly.edu
De : ElizabethJacobs@stlucius.edu
Date : Vendredi 11 octobre 19 : 09
Objet : En retard

B,
Je suis à la bourre et je n'ai pas encore pris ma douche (efface-moi ce petit sourire, s'il te plaît...) Je te retrouve sur place, d'accord ?

Bisous
E.

HibouNet

Messages instantanés
Boîte de réception

EliasWalsh :	T'es là ?
TinsleyCarmichael :	Ouais. Je viens d'arriver avec les filles. Le film a commencé. T'es où ?
EliasWalsh :	Dans la grange, j'attends que tu te libères.
TinsleyCarmichael :	Ah oui ? Dès que l'occase se présente...
EliasWalsh :	Dépêche-toi, ma puce...

30

UNE FOIS QU'ILS ONT CÉDÉ, LES HIBOUX DE WAVERLY ARRÊTENT DE SE FAIRE DÉSIRER.

Callie se plaça dans la queue du bar avec Benny et Sybille ; elle se faisait bousculer de tous côtés, les gens semblaient délibérément lui marcher sur les pieds (déjà à l'étroit dans sa paire de chaussures compensées en cuir Taryn Rose). En plus, depuis le SMS d'Elias, son esprit était ailleurs – elle savait qu'elle ferait mieux de ne pas se retrouver seule avec lui après avoir bu, mais en vérité, elle devait constamment lutter contre son envie de se jeter sur lui, quelles que soient les circonstances. Les ondes qu'il dégageait semblaient provoquer chez elle une réaction immédiate.

Pour autant, elle n'était pas prête à se précipiter à la seconde où il l'appelait. Il pouvait l'attendre. Il fallait bien qu'elle profite un peu de la soirée, non ? Elle se frotta les bras de haut en bas, pour essayer de se réchauffer. Elle leva les yeux vers le sublime ciel nocturne, bleu marine. Les quelques étoiles qui commençaient à poindre ressemblaient à des cristaux de givre. Callie tapota le minuscule renflement dans la poche de sa minijupe. Avant de quitter sa chambre, en ouvrant un tiroir de sa table de chevet à la recherche d'une barrette, elle était tombée sur l'énorme boîte de préservatifs qui était rangée là depuis la rentrée. Elle les avait achetés en espérant sauver sa relation avec Elias grâce au sexe. Mais ce n'était pas ainsi que cela s'était déroulé – il avait fallu en passer par une rupture. Ce soir, pourtant, elle avait glissé une capote dans sa poche. Mieux valait se tenir prête.

Deux secondes après que Callie s'était décidée à laisser mariner Elias, une huitième personne lui écrasa les orteils et elle décréta qu'il ferait peut-être un peu plus chaud – et qu'il y aurait très certainement moins de monde – à l'intérieur de la grange. Elle s'esquiva discrètement de la queue et passa l'angle de la grange, en faisant mine de chercher son paquet de cigarettes dans son minuscule sac à main en cuir rouge Hobo International. Les échos du film et de la foule diminuèrent, elle se dirigea vers la porte du bâtiment, en se servant de la lumière de son portable pour s'assurer qu'elle ne marchait pas dans une bouse de vache ou autres déjections de la ferme bien dégueu. Elle jeta un coup d'œil à l'intérieur par la porte entrouverte et vit une faible lueur tout au fond, et des ombres effrayantes projetées sur les immenses murs. Elle frissonna un peu et pas seulement à cause du froid. Les granges pouvaient-elles être hantées, comme les vieux manoirs ? Elias se trouvait-il à l'intérieur ou bien était-elle complètement seule ?

— Elias ? murmura-t-elle assez fort, la voix tremblante, dans l'obscurité.

— Salut !

Au son de sa voix, le cœur de Callie s'accéléra, et lorsque la tête d'Elias surgit du dernier box, elle dut reprendre son souffle. Elle ne s'était pas rendu compte à quel point elle était pressée de le voir jusqu'à ce qu'elle le soupçonne l'espace d'un instant de ne pas être venu.

— Par là !

La lumière disparut, puis reparut ; Elias se trouvait au fond, une lampe torche à la main.

Les genoux un peu flageolants, Callie avança lentement dans sa direction, foulant le sol inégal parsemé de paille. Elle ne savait pas pourquoi elle se sentait aussi nerveuse. Peut-être parce qu'elle craignait qu'il sache qu'elle était déjà soûle. Peut-être parce qu'elle sentait ses yeux bleu foncé rivés sur elle. Elle ne pouvait s'empêcher de se sentir superbement belle sous son regard admiratif – malgré ses jambes maigrelettes, sa jupe trop courte, son col roulé et tout. Les joues roses de plaisir, elle s'arrêta à un mètre de lui.

— Tu es en train de rater la fête, lança-t-elle, parce que c'était la première chose qui lui vint à l'esprit.

Elias lui sourit.

— Ce n'est pas la première fois que je vois un film. Ni des gens bourrés, ajouta-t-il sur le ton de la plaisanterie.

Callie fixa ses pommettes qui, dans le halo de la lampe, paraissaient encore mieux dessinées, plus remarquables. Il portait une chemise en flanelle éclaboussée de peinture, sur laquelle elle mourait d'envie de se frotter, et un pantalon en velours marron élimé, vaguement troué au genou, avec une tache bleue sur la cuisse droite. Il posa la lampe torche sur le sol de l'ancien box, qui ne sentait pas aussi fort que l'étable, et devait donc être désaffecté. Callie remarqua alors qu'Elias avait arrangé un épais lit de foin, formant comme un nid, sur lequel était étalée une grosse couverture en laine d'Écosse. Un plaid en polaire bordeaux, aux couleurs de Waverly, était roulé en boule dans un coin, et un exemplaire corné de *Gatsby le Magnifique* était pose sur la botte de foin, ouvert.

— Tu *lisais* ? le taquina Callie, manière de dissimuler son émotion en voyant le soin qu'Elias avait mis à arranger cet endroit pour elle – pour *eux*.

Elle frissonna encore, bien qu'il fît plus chaud qu'à l'extérieur. Elle n'entendait même plus la bande-son du film.

— Nan, fit Elias en se grattant la tête, d'un air gêné. Je t'attendais, c'est tout.

Callie sentit sa détermination faiblir, mais pas disparaître complètement. Elle croisa les bras sur sa poitrine et essaya de ne pas le regarder droit dans les yeux, un peu comme on évite de fixer le soleil en face, parce que cela fait trop mal. Mais soudain, elle vit trois roses rouges posées sur un coin de la couverture, qui semblaient l'attendre.

— Pourquoi trois ? demanda-t-elle, une boule dans la gorge.

Elias toussa.

— Je ne sais pas. Une douzaine paraissait trop kitsch…

Il passa sa main dans ses boucles rebelles.

— … Mais une, pas assez.

Il avait les yeux baissés. Il regarda Callie à travers ses épais cils foncés. Elle se l'imagina, dans la petite boutique étouffante du fleuriste de Rhinecliff, tenter de décider combien de roses seraient « assez ». Pas du tout le style d'Elias.

Elle fondit. *Elias*. Avant qu'il ait le temps d'ajouter quoi que ce soit, elle se jeta à son cou et l'embrassa. Leurs bouches se rencontrèrent avidement, elle agrippa délicatement les boucles dans sa nuque.

— Allongeons-nous, murmura-t-elle après quelques minutes d'un baiser intense.

Ils tombèrent sur la couverture et Callie se blottit contre le corps long et mince d'Elias, regrettant d'avoir mis son gros col roulé. Elle voulait être plus près de lui encore – elle voulait que leurs peaux se touchent.

Comme s'il avait lu dans ses pensées, Elias se mit à jouer avec le bas de son pull.

— On peut enlever ça ?

Pour toute réponse, Callie s'assit et l'embrassa dans le cou, puis ôta lentement son haut, révélant son soutien-gorge à balconnets Chantelle rose transparent, avec une minuscule tulipe noire au centre.

Elle sentit son haleine contre sa peau.

— Joli, chuchota-t-il, en faisant courir ses lèvres sur ses épaules.

Les doigts tremblants, il suivit l'os de sa clavicule.

— Au fait, ta prof a aimé ton tableau ? demanda-t-elle soudain.

Elle se mit à repenser au dernier baiser qu'ils avaient échangé. Il lui avait dit qu'il l'aimait ; cela lui paraissait déjà si loin. Il l'aimait. Elias Walsh aimait Callie Vernon. Elle fut immédiatement gagnée par la chair de poule – elle espérait que le résultat n'était pas trop repoussant. Elle avait envie qu'il le dise encore. Tout lui paraissait différent désormais – tout était bien de nouveau, et même *mieux* qu'avant leur rupture.

C'était ainsi que les choses devaient être pour une première fois, pensa-t-elle.

— Quoi ? Oh, répondit Elias en caressant son bras gauche. Tu as froid ?

Il attrapa le plaid et le jeta sur eux.

Callie lui secoua la main avec impatience.

— Alors, elle n'a pas aimé ?

La commissure de ses lèvres se souleva, dessinant son petit sourire en coin familier.

— Elle a adoré. Elle voulait savoir où j'avais trouvé un si beau modèle.

— Menteur !

Callie attrapa Elias par les épaules et le plaqua sur la couverture.

— À ton tour.

Elle défit les boutons de sa chemise avec fièvre. Si quelques minutes auparavant, elle avait rêvé de frotter son visage tout contre, ça ne lui suffisait plus désormais – elle voulait toucher sa peau, sentir la chaleur de son corps contre le sien. Devinant l'urgence dans ses gestes, il lui vint en aide.

— Hé, l'interrompit Elias en attrapant son menton et en la regardant droit dans les yeux. Euh… On fait quoi, là ?

— Je n'ai pas besoin de te faire un dessin, quand même…

Elle tira de sa poche le petit paquet brillant turquoise et argent et le glissa dans sa main d'un mouvement fluide.

Elias lui caressa les cheveux.

— Vraiment ? Tu te sens prête et tout ?

Elle croyait bien ne jamais l'avoir vu aussi heureux.

Elle finit de lui enlever sa chemise et colla son oreille à sa poitrine, où elle entendit son cœur battre la chamade. Elle ne s'était jamais sentie aussi prête pour quelque chose de toute sa vie.

31

IL Y A DES LIMITES À CE QU'UN HIBOU DE WAVERLY PEUT SUPPORTER SANS SE DÉSAVOUER.

Brandon se tenait à côté de la grange, il sirotait sa bière en parcourant la foule des yeux, à la recherche de la tête blonde d'Elizabeth. Pas de chance. Il avait reçu son e-mail disant qu'elle serait en retard, mais le film était à moitié terminé. Non qu'il l'ait vraiment suivi, en fait – personne, d'ailleurs. Tout le monde était allongé sur des couvertures, à fumer des cigarettes en buvant la bière pourrie de Heath, blottis les uns contre les autres, pour se tenir chaud, soi-disant. À la vision de tous ces couples enlacés, l'absence d'Elizabeth se fit ressentir plus cruellement. Qui pouvait bien avoir envie de regarder ce crétin d'Alan St Girard rouler des pelles à l'adorable Alison Quentin ?

Tout à coup, il la vit, au bar, vêtue de son blouson de moto en Skaï, un pashmina rouge autour du cou. Brandon laissa échapper un grand soupir de soulagement et fit un pas dans sa direction.

Sauf qu'à cet instant précis, elle se pencha en avant et toucha le bras du type avec qui elle discutait. Il voyait bien, d'après le mouvement de sa main gantée de rouge, qu'elle lui pressait même le bras. Exactement comme elle l'avait fait avec lui.

Et aujourd'hui, c'était avec ce connard de Brian Atherton.

Brandon compta jusqu'à douze, ainsi que l'avait toujours préconisé son père lorsqu'on était en colère, parce que « après douze secondes, les problèmes ne paraissent plus si graves. » Douze secondes à regarder Elizabeth se pencher de plus en plus près de cet abruti, jeter sa tête en arrière en riant, la courbure blanche de son cou luisant sous la lune. Et tout ça pour Atherton qui la matait comme si elle était un Big Mac et qu'il crevait la dalle. Brandon fonça droit sur eux, sans faire attention aux couvertures sur lesquelles il marchait.

— On se baisse, devant ! s'écria quelqu'un.

Des gens s'esclaffèrent.

Tout à coup, il s'arrêta. Qu'allait-il faire, casser la gueule du type ? Il n'allait sûrement pas se ridiculiser pour ce con d'Atherton. Il essaya de se rappeler ce que lui avait dit Elias. Ne lui mets pas la pression, elle viendra vers toi. Brandon serra les poings. Il lui avait promis de lui laisser de l'espace. Il savait que ce n'était pas très correct de changer d'avis vingt-quatre heures après.

Il approcha d'eux, toujours tremblant de colère, mais résolu à ne pas le montrer. Elizabeth sourit en le voyant et le salua de sa main gantée. Elle avait l'air si contente de le voir.

— Salut toi !

Elle lui donna un baiser sur la joue, laissant derrière elle un parfum de patchouli.

— Salut vieux, quoi de neuf ?

Atherton leva la main pour que Brandon tape dedans, affichant un sourire insolent qui semblait vouloir dire « Et t'essayes toujours de me faire croire que c'est ta copine, c'est ça ? »

Brandon ignora son salut et désigna le projecteur du film.

— J'ai entendu des filles de troisième parler de toi là-bas.

— Sans déconner, répondit Atherton en scrutant la foule. Elles étaient bonnes ?

— Carrément. Va voir vers le projecteur.

— Cool.

Atherton fit un pistolet avec ses doigts et imita le bruit d'un déclic pour signifier qu'il appuyait sur la détente. Il reluqua une dernière fois Elizabeth.

— À plus, mes petits canards.

Elizabeth ne le regarda même pas partir. Au lieu de ça, elle posa sa main sur l'avant-bras de Brandon et le serra un peu. Son autre main tenait un gobelet de bière à moitié vide.

— Je suis contente de te voir, beau gosse.

Brandon avait vraiment du mal à se contenir. Ça ne comptait pas pour elle qu'à peine trente secondes plus tôt, elle ait eu exactement le même geste envers un autre ?

— Oui, euh, moi aussi. Tu avais l'air de, euh, bien t'éclater.

Il essaya de garder un ton léger, mais ne parvint pas à dissimuler son amertume.

Elizabeth le regarda avec surprise, les joues rosies par le froid.

— Qu'est-ce que ça veut dire ?

Brandon se frotta les yeux, en essayant de se calmer. En vain.

— Atherton ! Ce mec est vraiment insignifiant, lâcha-t-il.

Elizabeth se raidit et retira très vite sa main. Elle croisa les bras sur sa poitrine.

— Attends – tu es en colère contre moi ? J'allais partir à ta recherche après ma bière. Et ta belle ouverture d'esprit alors, elle est passée où ?

— Je sais, reconnut Brandon en donnant un petit coup de pied dans la terre du bout de ses bottes John Varvatos. Mais je n'imaginais pas que je serais forcé de te voir draguer d'autres mecs.

— Ce qui signifie ?

Ses sourcils se froncèrent – Brandon voyait bien qu'elle était réellement exaspérée – et blessée – par son comportement. Mais il ne parvenait pas à réagir autrement. À l'instant où Atherton avait disparu, toute sa bravade s'était volatilisée. Ce n'était pas ce qu'il voulait – voir la fille dont il s'était entiché minauder devant d'autres et ne pas s'en soucier ? Ça faisait vraiment chier.

Brandon enfonça ses mains glacées dans les poches de son jean Rock & Republic.

— Je crois que ça veut dire que mon ouverture d'esprit, tu peux l'oublier.

Il fit demi-tour et s'éloigna.

32

ATTENTION ! LES HIBOUX DE WAVERLY SONT UNE ESPÈCE CARNIVORE.

Beth s'allongea, savourant la sensation de douceur des doigts de Kara caressant ses cheveux. Kara était assise en tailleur sur l'épais édredon en coton que son amie avait apporté, et Beth avait la tête posée sur un sweat-shirt roulé en boule entre ses jambes. En temps normal, elle se serait inquiétée du qu'en-dira-t-on, mais après quelques bières, elle ne s'en souciait plus autant. De plus, elle jouait avec les cheveux de Heath, lui-même allongé sur le flanc, la tête sur le ventre de Beth. Il y avait quelque chose de très réconfortant dans cette scène – bien entendu, c'était super bizarre que Heath soit soudain devenu leur meilleur ami, mais Beth commençait à l'apprécier véritablement. Il semblait sincèrement vouloir protéger leur secret et puis c'était plutôt marrant de se balader avec lui et voir tout le monde se demander ce qu'il pouvait bien se passer entre eux. C'était un écran de fumée plutôt pratique, elle devait en convenir.

Non pas que cette sensation d'abuser les gens leur plaise. Ce n'était pas ça. Mais c'était important de garder leur secret… et bien… secret. Entre elles, c'était encore tellement récent – Beth essayait de suivre le conseil de Jenny de « se laisser aller » et de ne pas tout analyser constamment. Ce qu'elle ne pourrait jamais réussir à faire si le monde entier, ou du moins la population de Waverly tout entière, jasait sur elle.

La poche de Heath vibra, il en sortit son portable et lut le texto qu'il venait de recevoir.

— Mesdemoiselles, je suis désolé de vous abandonner, mais quelqu'un fume quelque chose et je ne veux pas rater ça.

Il avait visiblement du mal à les quitter des yeux tandis qu'il se levait.

— Ne faites rien sans moi. Ou alors, prenez des photos.

Il parlait très bas pour que personne ne les entende.

— Tu veux que j'aille nous chercher une bière ? demanda Beth en se rasseyant, une fois Heath parti en direction du champ de maïs.

Une scène de jour sur l'écran, éclaira le visage de Kara. Beth perçut dans ses yeux brun vert expressifs qu'elle se demandait si Beth voulait éviter de se montrer seule en public avec elle. Elle se contenta de répondre :

— Oui, je veux bien.

Beth glissa une main sous le sweat-shirt en boule et pressa doucement le genou de Kara. Dans un monde parfait, elle pourrait se pencher vers elle et l'embrasser, goûter à la saveur de pamplemousse de son gloss. Beth éprouva une profonde dou leur au ventre, mais elle préféra l'ignorer, elle se leva. Elle regarda encore une fois Kara, vêtue de son col roulé noir et de sa doudoune grise, dessinée par sa mère pour sa ligne de vêtements de sport. Ça lui paraissait tellement étrange de regarder une fille en ressentant l'envie de l'embrasser.

— Je reviens tout de suite, promit-elle.

Beth se faufila à travers la foule étalée sur des couvertures. Le public semblait s'être raréfié ce qui n'avait rien d'étonnant, car cette soirée non surveillée à l'extérieur du campus semblait proposer une multitude de divertissements. Comment Tinsley avait-elle réussi à faire accepter ce projet, franchement ? Et d'ailleurs, où était-elle, celle-là ? Mais Beth cessa d'y penser lorsqu'elle s'aperçut que les gens paraissaient se taire à son approche. Était-on en train de... *parler* d'elle ? Elle se sentit immédiatement rougir, mais elle parvint à rallier les tonneaux de bière avec élégance.

Néanmoins, alors qu'elle tapotait du bout de son sabot Stuart Weitzman le sol herbu et dur, elle surprit une parole, échangée devant elle, qui lui glaça le sang dans la seconde.

— Beth ? Tu veux dire qu'elle est... *gay* ?

Elle eut un haut-le-cœur. Enfoiré de Heath Ferro. Évidemment. Cette raclure, cet obsédé dégénéré n'était qu'un cafteur. Immédiatement, Beth tourna les talons et fonça droit vers sa couverture, oubliant complètement la bière, et écrasant plusieurs plaids au passage. Ryan Reynolds surgit de nulle part en titubant. Visiblement très soûl, il glissa un bras autour de ses minces épaules.

— À ton avis, je pourrais me joindre à vous un de ces quatre ?

— Va te faire foutre, siffla-t-elle en dégageant son bras et en continuant sa charge à travers la pelouse, légèrement aveuglée par l'obscurité et sa colère.

Elle s'écroula finalement sur la couverture où était installée Kara.

— Qu'est-ce qui se passe ? demanda celle-ci, qui vit tout de suite que quelque chose n'allait pas.

— Où est Heath ?

Beth avait eu du mal ne serait-ce qu'à articuler ces mots, tant son corps tremblait.

— Je vais le tuer, sur-le-champ. Et devant le monde entier.

Kara écarquilla les yeux.

— De quoi tu parles ?

Beth pinça les lèvres pour tenter de se calmer. Mais son cœur battait à mille pulsations minute et elle ne pensait qu'à une chose : envoyer un grand coup de poing dans la figure arrogante de cet idiot de Heath.

— Il l'a raconté à tout le monde. Tout Waverly est au courant.

— Ooooh.

Kara jeta un coup d'œil autour d'elle. Beth savait qu'elle avait envie de la serrer dans ses bras ou de lui attraper la main, bref, de faire quelque chose pour la réconforter mais cela n'eut pour effet que de l'énerver encore davantage.

— ... Il ne ferait jamais ça, reprit Kara.

— Il faut croire que si.

Beth passa une main dans ses cheveux rouges, oubliant complètement la sensation agréable qu'elle avait éprouvée lorsque Kara les avait peignés avec ses doigts quelques minutes auparavant. Rien n'était plus comme avant maintenant – rien du tout. Et tout ça parce que ce con de Heath Ferro n'avait pas pu tenir sa langue. Il avait fallu qu'il se vante, il n'avait pas pu s'en empêcher, hein ? De partager ça avec toute l'école ?

— Qui d'autre aurait pu en parler ?

Kara se mordit la lèvre d'un air inquiet.

— Je ne sais pas. Ce n'est peut-être pas la fin du monde ?

Une boucle soyeuse tomba devant son visage, dissimulant en partie ses yeux interrogateurs.

Beth observa le joli visage de Kara, en songeant combien elle aurait aimé partagé son point de vue. Elle savait que c'était idiot d'avoir honte d'être avec Kara – mais la dernière chose qu'elle souhaitait, c'était que les gens la dévisagent comme si elle était un phénomène de foire. Elle venait à peine de se remettre des révélations sur sa famille de nouveaux riches, et franchement, elle n'aimait pas se retrouver au centre de la tornade de ragots de Waverly. Malheureusement, elle semblait en plein dans l'œil du cyclone.

33

UN HIBOU DE WAVERLY SAIT COMMENT SE TIRER D'UNE SITUATION ÉPINEUSE.

— Mais tu ne peux pas partir ! On va jouer à « Je N'ai Jamais » ! protesta Verena Arneval lorsque Jenny se leva pour se dégourdir les jambes.

Depuis le début de la soirée, Jenny ne se sentait pas très bien, sans trop savoir pourquoi. Beth, Kara et Heath paraissaient dans leur petit monde, elle n'avait pas très envie de les déranger. Callie avait disparu environ une heure auparavant, la laissant en compagnie de Verena, Alison, Alan et de quelques autres. C'était sympa, mais… pas tant que ça. Le cerveau de Jenny lui paraissait fonctionner au ralenti à cause de la bière. Un verre de plus et elle serait complètement soûle.

Sans parler du désastre qui s'était produit lors de la dernière partie de « Je N'ai Jamais ». Non, merci. Elle secoua résolument la tête et s'apprêta à s'éloigner des bottes de foin sur lesquelles était installé le groupe. En tripotant la capuche de son pull, Jenny leva les yeux vers le film en noir et blanc toujours projeté sur le mur de la grange. Elle n'y avait pas vraiment accordé d'attention, mais cela créait une ambiance si… romantique.

— Je vais faire un tour. Je reviens.

Elle entendit un déclic : Ryan venait de prendre une photo de ses fesses. Soupir.

Jenny n'avait jamais réellement vu l'intérieur d'une grange, à part au cinéma ou à la télé, alors elle approcha du bâtiment en contournant les gens qui s'embrassaient sur des plaids ou jouaient à des jeux à boire dont le but était de descendre le plus de bière (maintenant tiède) possible. À plusieurs reprises, des bribes de conversation à propos de Kara, de Beth et de leur amourette illicite lui parvinrent aux oreilles. *Aïe.* Apparemment, le secret était déjà devenu un vrai ragot. Elle plissa les yeux, mais ne vit nulle part la tignasse rouge camion de pompier de Beth. Apprendre que tout le monde connaissait ses secrets allait la tuer, elle qui était si réservée.

Jenny cherchait également une autre silhouette familière dans l'assistance, mais elle ne la trouve pas. Peut-être que cela expliquait qu'elle fût si déprimée ce soir.

Ses bottes se frayèrent un chemin dans l'herbe jusqu'à l'angle du bâtiment ; là régnait un silence délicieux. La rumeur du film s'atténua progressivement. Jenny s'adossa aux planches usées de la grange et se tourna vers la lune très ronde, suspendue dans le ciel nocturne et à demi couverte par de fins voiles de nuages.

Elle passa la tête à l'intérieur de la grange et fut surprise d'apercevoir deux petits points rouges au fond. Curieuse, elle plissa les yeux pour s'accommoder à l'obscurité, n'étant pas certaine de ce qu'elle voyait. Tandis que sa vision s'éclaircissait, deux choses se produisirent simultanément : les nuages s'écartèrent, permettant au clair de lune de se répandre dans la grange, et l'un des points rouges bougea. C'était Callie, qui se tenait debout dans le dernier box, une cigarette à la main, les épaules nues, sublimes luisant sous la lune. La paroi du box dissimulait le reste de son corps, mais il n'était pas difficile de deviner qu'elle ne portait sûrement pas une robe bustier…

Notamment lorsque Jenny vit que l'autre point rouge était le bout d'une autre cigarette – celle d'Elias.

Ses mains se mirent à trembler, les larmes à ruisseler lorsqu'elle comprit une chose qu'elle aurait sûrement dû savoir depuis le début : ils s'étaient remis ensemble. Tout à coup, dans un flash, elle revit le tableau qu'Elias avait exposé en cours de dessin ce jour-là. Cette forme de fraise qui lui avait paru si familière – c'était la tache de naissance au creux des reins de Callie, une marque que seul quelqu'un l'ayant vue récemment en bikini, en sous-vêtements ou complètement nue, aurait pu rendre avec autant de précision. Elle sentit sa lèvre inférieure se mettre à trembler. Ils étaient de nouveau ensemble, mais ce n'était pas le pire. Callie lui avait menti. Jenny avait cru qu'elles étaient amies, mais elle s'était complètement… fourvoyée.

Jenny fit demi-tour et s'éloigna à toute vitesse de la grange et de la soirée. Elle ne savait pas trop où elle allait, mais il lui fallait partir. Marre de boire de la bière, de jouer à des jeux idiots et de voir des gens soi-disant amis lui mentir. Tandis qu'elle fonçait droit devant, une image affreuse de Callie et Elias lui vint à l'esprit : tous deux riaient, ils se moquaient d'elle, qui croyait naïvement en leur amitié. Elle entendait presque Callie dire : « C'est tout de même incroyable qu'elle ait pu penser que tu la préférais à moi. » Jenny trébucha sur un obstacle – un épi de maïs. Elle donna un grand coup de pied dedans, le projetant dans les airs ; il atterrit dans un bruit sourd sur un genre de silo métallique qui se trouvait juste là ; ça lui fit du bien.

— Tu devrais faire attention. Tu pourrais faire mal à quelqu'un.

Jenny leva les yeux et fut prise d'un hoquet. *Julian.* Il était assis sur un genre de souche d'arbre, à côté du silo, un gobelet en plastique vide à la main.

Une sensation étonnante l'envahit – cette émotion merveilleuse et inattendue qui survient lorsque, par le plus grand des hasards, on se voit offrir quelque chose qu'on ignorait désirer vraiment. Comme ce matin, quand Jenny avait ouvert le colis envoyé par son père et y avait découvert un Tupperware contenant des muffins au potiron et aux pépites de chocolat de la pâtisserie installée sur Amsterdam Avenue, qui devaient être ce qu'il y avait de plus délicieux et réconfortant au monde.

Évidemment, c'était sans commune mesure avec ce qu'elle avait ressenti en voyant apparaître devant elle Julian, seul, à l'instant même où elle pensait avoir touché le fond. C'était lui qu'elle avait cherché toute la soirée.

— Qu'est-ce que tu fais ici ? demanda Jenny, troublée que tout se précipite, tout à coup.

Elle venait à peine de surprendre son ex, ce garçon dont elle pensait être amoureuse, nu en compagnie de son ex à lui, sa colocataire avec qui elle avait fait un pacte, visant à abandonner Elias à jamais. Tu parles d'un pacte. Elle frissonna, comme pour se débarrasser de cette affreuse sensation d'avoir été bernée.

— Dans le noir.

Comme toujours, Julian répliqua du tac au tac.

— Je me suis mis sur la touche.

Jenny rit.

— Tu te caches, autrement dit ?

Pour une raison qui lui échappait, elle faisait toujours preuve d'audace avec Julian – comme si la partie de son cerveau qui empêchait sa bouche de proférer la première chose qui lui venait à l'esprit n'avait plus aucune efficacité lorsqu'elle se trouvait en sa compagnie. En même temps, elle avait l'impression que ça ne le dérangeait pas.

— Eh bien…

Julian ne termina pas sa phrase. Il écrasa bruyamment le gobelet en plastique qu'il avait dans la main. Puis il soupira.

— … On peut dire ça comme ça.

Il tapota le tronc en guise d'invitation à le rejoindre. Elle se laissa tomber à côté de lui, en évitant soigneusement de lui demander qui il fuyait ainsi.

Assis côte à côte sur leur banc de fortune, Jenny était pleinement consciente de la proximité de leurs jambes. À peine trois centimètres devaient les séparer. Ni l'un ni l'autre ne dit rien pendant un moment, comme s'ils écoutaient les bruits lointains du film. Bizarrement, ça n'avait rien de gênant.

Enfin, Julian prit la parole, son souffle visible dans l'obscurité.

— C'est plutôt cool comme endroit. Ce qui est dommage, c'est que ce soit un tel… cirque.

Ses longues mèches châtains étaient coincées derrière ses oreilles, elles frôlaient à peine les épaules de sa polaire vert olive. Jenny baissa les yeux vers leurs pieds – les Tretorns vintage de Julian étaient énormes, surtout comparées à ses petites bottes à bouts ronds. Mais d'une certaine façon, leurs chaussures étaient plutôt mignonnes, les unes à côté des autres.

— Tu veux retourner voir le film ? demanda-t-elle, en espérant qu'il dirait non.

Il tourna la tête vers elle, la lune éclairait si fort ses yeux brun foncé que Jenny pouvait pratiquement compter les paillettes dorées dans ses iris.

— Non, répondit-il simplement.

Jenny rougit et, dans les poches de son pull, ses mains devinrent un peu moites. Que se passait-il, là ? D'ailleurs… se passait-il vraiment quelque chose ? Tout à coup, elle se sentit un peu nerveuse.

— Il vient de… hum… de m'arriver un drôle de truc.

Elle ressentait, pour une raison ou pour une autre, le besoin de lui raconter – elle ne savait pas trop pourquoi, mais ça lui paraissait important.

— Je suis entrée dans la grange, et Callie et Elias étaient…

Elle s'interrompit. Apparemment, ils avaient couché ensemble, mais elle n'allait pas commencer à répandre des rumeurs. Elle savait à quel point c'était désagréable.

—… Enfin tu vois. Ensemble.

— Oh.

Si Jenny n'avait pas été aussi sensible à la proximité de la jambe de Julian, elle n'aurait peut-être pas remarqué qu'il venait de s'écarter d'elle, de façon presque imperceptible.

— Ça craint.

Il baissa les yeux vers ses chaussures et elle se demanda s'il trouvait lui aussi qu'elles étaient mignonnes, à côté des siennes.

— Ça a dû être très dur pour toi – de le voir, avec quelqu'un d'autre je veux dire, ajouta-t-il.

Jenny secoua la tête lentement et, avant de se rendre compte de ce qu'elle faisait, posa une main sur son bras.

— Pas vraiment, en fait.

La polaire usée de Julian était aussi douce qu'une peau de bébé sous ses doigts. C'était plutôt excitant de le toucher comme ça. Il tourna immédiatement son visage vers elle, d'un air interrogateur.

— C'était bizarre, mais pas à cause d'Elias.

Comme doué d'une volonté propre, le pouce de Jenny se mit à caresser le bras de Julian, et elle se rendit compte que depuis qu'elle lui parlait, elle n'avait pas une seule fois pensé au froid qu'elle ressentait.

— Tout est fini entre nous et maintenant je suis convaincue que nous n'aurions jamais dû sortir ensemble.

— Ah bon ? fit Julian, les sourcils relevés, comme s'il ne savait pas trop s'il pouvait la croire.

Mais il jeta un œil à sa petite main posée sur sa polaire et cela, au moins, lui parut une certitude. Il se tourna un peu pour lui faire face.

Elle acquiesça.

— En plus, je pense à quelqu'un d'autre en ce moment.

Elle pinça les lèvres pour réprimer un sourire. Encore une audace.

Elle avait le cœur complètement affolé, les doigts glacés, l'écorce de l'arbre lui rentrait dans la cuisse. Et pourtant… elle aurait voulu que ce moment dure toujours. D'autant plus lorsque Julian posa sa main sur la sienne. Il s'éclaircit la gorge.

— J'espérais un peu… reconnut-il d'une voix grave, rauque.

Une boucle tomba devant le visage de Jenny, elle la repoussa délicatement derrière son oreille. Julian suivit d'un doigt le contour de son poignet – jamais elle n'aurait cru que ce simple geste puisse être aussi agréable. Elle leva son visage vers lui. Elle n'arriva pas à croire que sa main touchait la sienne, et lorsqu'il se pencha vers elle, elle doutait encore de la réalité de la situation.

Les lèvres bien dessinées de Julian s'arrêtèrent à quelques centimètres des siennes.

— J'ai pensé à toi toute la journée, murmura-t-il.

Puis il l'embrassa.

Avant de fermer les yeux, Jenny songea que son visage, si adorable accroché au mur de l'atelier d'arts plastiques, était encore mieux en vrai.

34

UN HIBOU DE WAVERLY GARDE SON CALME, QUEL QUE SOIT SON ÉTAT D'ÉNERVEMENT.

Tinsley ouvrit le Zippo de Julian, regarda la flamme jaillir et illuminer la nuit. Elle avait le briquet, mais elle voulait le garçon. Où était-il passé ? Elle referma le Zippo d'un coup sec, agacée. Elle n'avait pas revu Julian depuis le trajet en voiture, durant lequel il s'était montré… étrange. Heath avait été assez aimable pour lui réserver la voiture la plus extravagante de l'agence de location : un Hummer doté d'un waterbed à l'arrière. Le must du baisodrome. Mais depuis la seconde où elle avait retrouvé Julian au portail, il s'était révélé un peu, eh bien, distant. Sur le coup, Tinsley avait mis ça sur le compte d'une technique pour se faire désirer, pour la mettre dans tous ses états. Mais franchement, ce n'était pas la peine qu'elle se fatigue. Dans son pantalon ample Armani en velours bleu marine qui la serrait aux fesses comme si c'était sa seule utilité et son haut Anna Sui en dentelle écrue qui laissait délicieusement entrevoir son caraco La Perla chocolat, normalement, elle n'aurait dû avoir aucun effort à faire.

La froideur de Julian le rendait encore plus attirant à ses yeux et elle savait que c'était ce qu'il voulait. Après tout, il avait décroché Tinsley Carmichael, et il était conscient qu'il lui faudrait rester vigilant s'il voulait la garder. Aussi, lorsqu'ils étaient allongés sur le waterbed, elle lui avait massé les épaules, de plus en plus émoustillée par la résistance qu'il opposait à ses charmes. À l'instant où elle allait se jeter à l'eau, le Hummer s'était arrêté devant la grange. Elle regrettait de ne pas avoir pensé à demander au chauffeur de faire un détour.

Après avoir lancé le film, Tinsley constata que Julian avait disparu. Elle se frotta les bras, le tissu de sa petite veste BCBG satinée était glacé contre sa peau. Elle espérait que le prix à payer pour être aussi belle n'était pas de mourir de froid. Pendant l'heure qui avait suivi, ses yeux avaient parcouru la foule en tous les sens. Tandis qu'elle flirtait avec des mecs dont elle n'avait rien à foutre et papotait avec des filles qui l'ennuyaient à pleurer, elle ne cessait de se demander jusqu'à quand Julian comptait se montrer aussi distant.

Puis son impatience avait fini par faire place à l'irritation. À la moitié du film, elle en avait eu assez de ce petit jeu du chat et de la souris. Elle avait brusquement quitté la table de pique-nique d'où elle observait Parker DuBois, le Belge sexy de terminale, qui fumait des cigarettes aux clous de girofle tout seul sur une couverture et regardait vraiment le film. Tinsley fut tentée d'aller s'asseoir à côté de lui, mais comprit que ce serait uniquement pour rendre Julian jaloux ; et puisque ce dernier manquait à l'appel, cela lui parut contreproductif.

Elle préféra donc faire le tour de la grange, un instant fébrile à l'idée qu'il l'attendait peut-être à l'intérieur. Et s'il lui avait préparé une surprise, alors qu'elle perdait bêtement du temps qu'ils auraient pu mettre à profit ? Tandis qu'elle faisait une pause devant la porte sombre, entrebâillée, elle vit du mouvement, au loin, près du silo. Elle reconnut Julian, assis sur quelque chose, dans le noir, et à l'instant où elle allait l'appeler triomphalement (elle l'avait trouvé !) elle se rendit compte qu'il n'était pas seul.

Non seulement il n'était pas seul, mais en plus il avait le visage scotché à celui d'une autre.

Seul un imbécile n'aurait pas remarqué avec quelle tendresse la main de Julian caressait le bras de la fille. On se serait cru dans un film d'amour cucul – l'acteur principal caresse l'actrice principale d'une façon très intime et pleine d'affection qui ne laisse aucun doute au public quant aux sentiments qu'il éprouve à son égard. Pendant un moment, Tinsley, clouée sur place ne put rien faire d'autre que les fixer. Elle s'imaginait presque dans un gros fauteuil de multiplexe, en train de regarder cette scène de fin d'une mauvaise comédie romantique. Une chanson à l'eau de rose en fond sonore. Générique.

Soudain, elle se ressaisit de sa stupeur, la colère se répandit dans ses veines comme une onde électrique. C'était quoi, ce bordel ? Julian, l'objet de tous ses fantasmes cette semaine, le garçon qui avait occupé ses pensées chaque seconde était là, en train de rouler des pelles à une autre ? Comment osait-il ?

Le pouls de Tinsley s'emballa encore lorsque Julian recula et qu'elle put distinguer le visage de la fille. Ses yeux zoomèrent comme une caméra.

Jenny.

Elle péta un plomb. Jenny Humphrey croyait qu'elle pouvait débarquer à Waverly Academy avec ses ballerines en daim couleur vomi, son petit nez en trompette, ses seins énormes et piquer n'importe quel mec, quelle que fût la fille avec qui il sortait ? Elle avait volé Elias à Callie puis planté ses griffes dans le seul mec qui comptait pour Tinsley. Le clair de lune suffisait à lui montrer ses joues toutes roses pleines de taches de rousseur, ses boucles brunes en petites tresses à la bohémienne, super énervantes.

Une gémissement s'échappa de la gorge de Tinsley, mais elle parvint à demeurer suffisamment maîtresse d'elle-même pour ne pas hurler à pleins poumons. Elle se contenta de serrer les poings et, à cet instant, se rendit compte qu'elle avait quelque chose dans la main droite. Le briquet de Julian.

Elle l'ouvrit d'un air absent, sans quitter des yeux Julian et Jenny, consciente que l'image de leur baiser demeurerait très, très longtemps gravée dans son esprit. Écœurée, furieuse, et bien plus blessée qu'elle ne l'admettrait jamais, Tinsley lança le briquet de Julian dans les airs. Elle pivota sur ses hauts talons Miss Sixty, sans même regarder où il avait atterri.

35

AVANT DE PIQUER UNE CRISE,
UN HIBOU DE WAVERLY DOIT VÉRIFIER QUI LE REGARDE.

Heath Ferro doit mourir. Heath Ferro doit mourir. Beth n'avait qu'une obsession : elle avait furieusement envie de l'étrangler. Bien sûr, elles n'auraient jamais dû lui faire confiance – au moment même où elle commençait à le considérer comme un véritable ami, elle découvrait que tout n'était pour lui qu'un jeu, dont il s'était vanté auprès de tout le monde.

Elle aperçut sa tignasse blonde près du bar, un joint tout fin entre les lèvres. Elle fonça sur lui comme une furie, ses cheveux s'échappant des barrettes en strass. Lorsqu'elle se trouva à sa hauteur, elle écarta Alan St Girard de son passage et arracha le joint allumé de la bouche de Heath.

— Qu'est-ce… commença-t-il, mais Beth l'interrompit.

Elle le força à s'éloigner des autres de quelques pas.

— Comment as-tu pu ? l'interrogea-t-elle, en essayant de chuchoter.

Ce qui était difficile, vu son état d'énervement.

— Comment as-tu pu tout balancer pour Kara et moi ? Je n'arrive pas à croire qu'on ait été assez stupides pour te faire confiance !

— Attends, mais de quoi tu parles, là ?

Le visage de Heath se décomposa sous l'effet de la panique. Ses joues étaient toutes rouges à cause de l'herbe et de la bière, mais il ne jeta même pas un coup d'œil vers le joint que lui avait confisqué Beth. Ses yeux noisette s'écarquillèrent de confusion et de terreur.

— Je n'ai rien dit à personne à propos de vous deux ! Je te le jure… sur ce que tu veux !

Il se passa la main dans les cheveux, comme s'il essayait de les arracher.

Beth marqua une pause.

— Tu n'as rien dit ? À personne ?

— Non !

Ce devait être le résultat combiné de la bière, de la drogue et de la frustration, mais Beth aurait pu jurer qu'elle voyait des larmes poindre aux coins de ses yeux.

— Et… Et mes photos, alors ? demanda-t-il, presque timidement.

Elle posa une main sur son bras et le pressa gentiment. Il n'était clairement pas le coupable de cette affaire. Mais si Heath n'avait rien balancé, alors qui l'avait fait ?

— Écoute, je suis désolée. Je suis juste… Je ne sais pas.

Elle lui rendit son joint à demi fumé.

— Je ne voulais pas m'énerver contre toi. Mais qui a bien pu le raconter à tout le monde ? La seule personne à qui j'en ai parlé à part toi, c'est…

Elle se tut.

Jenny.

Beth prit soudain conscience du silence qui l'entourait. Seul résonnait le bavardage de Clark Gable et Claudette Colbert. Une boule d'angoisse au creux du ventre, elle se rendit compte que tout le monde pouvait entendre ce qu'elle disait à Heath. Si jamais il restait une personne qui ignorait la situation, voilà qui était réparé. Beth aurait bien voulu que le sol s'ouvre sous ses pieds et l'avale entièrement, pour qu'elle puisse disparaître, quitter cette misérable scène sans laisser de trace.

Elle était sur le point de tourner la tête pour constater combien de personnes les observaient, lorsque Heath pointa un doigt vers le ciel.

— Merde. C'est de la fumée, ça, non ?

La foule reprit vie presque aussi vite qu'elle s'était tue.

— Oh mon Dieu.

Une odeur âcre de bois brûlé flottait dans l'air et, très vite, la soirée tourna au chaos absolu, tout le monde se précipitant pour récupérer ses affaires et fuir la grange. Beth fixa bêtement les flammes qui commençaient à s'élever dans le ciel noir de la nuit. Elle approcha d'un pas. Comment cela avait-il pu se produire ?

— Elle est en feu ?

À l'angle de la grange apparurent soudain Elias et Callie. Elias tentait de reboutonner sa chemise tant bien que mal, Callie renfilait son gros pull noir. Elle avait les jambes nues sous sa jupe courte, une chaussure dans chaque main. Des brins de paille étaient piqués dans ses cheveux comme si elle s'était roulée dedans et à voir le geste tendre d'Elias, la main au creux de ses reins tandis qu'ils s'enfuyaient en courant, c'était exactement ce qui avait dû se passer.

— Au feu ! hurla Elias de toutes ses forces, comme si tout le monde était trop abasourdi de les voir surgir de nulle part, Callie et lui, à demi nus, pour remarquer que l'énorme grange rouge derrière eux était en flammes.

36

UN HIBOU DE WAVERLY SAIT QU'IL N'Y A GÉNÉRALEMENT PAS DE FUMÉE SANS FEU.

Callie se blottit contre Elias à l'arrière de la limousine bondée – personne ne semblait s'intéresser à la composition des voitures maintenant que les pompiers tentaient d'éteindre le gigantesque incendie. Elle n'arrivait pas à croire tout ce qui venait de se passer. Tandis que les Hiboux de Waverly se ruaient frénétiquement sur les véhicules de location, pressés de fuir les lieux aussi vite que possible, Callie avait vu Tinsley réussir à éteindre le projecteur et à sauver l'équipement. Personne ne semblait savoir exactement ce qui était arrivé à la grange. La scène lui rappelait étrangement *Autant en emporte le vent*, quand Scarlett O'Hara et tous les habitants d'Atlanta devaient fuir la ville en proie aux flammes. Ça lui donnait la chair de poule.

Tandis qu'Elias caressait ses cheveux imprégnés de fumée, Callie ne pensait plus qu'à une chose : ce qui s'était passé entre eux. Ils avaient vraiment couché ensemble. Fait l'amour. Peu importe. Tout était différent, désormais ; ils étaient liés d'une façon super intime, personnelle, incomparable. Elle mit la tête sur son épaule, se fichant pas mal de montrer à tout le monde qu'ils étaient ensemble. Après tout, presque tout Waverly les avait vus quitter la grange à moitié habillés et maintenant, Callie avait l'impression que tous les passagers de la voiture avaient les yeux rivés sur ses jambes nues. Dieu merci, elle n'avait pas oublié de se raser.

Elle se sentait comme perdue dans le brouillard après ce qui s'était passé – le sexe, pas l'incendie. D'une certaine façon, un peu tordue et dramatique, elle trouvait plutôt satisfaisant que la grange soit réduite en cendres. On aurait dit une scène tirée d'un roman, bien que Callie eût été incapable de dire lequel. Ainsi, le lieu où Elias et elle avaient perdu leur virginité n'existait plus – ce qui était largement préférable que de savoir qu'une sale vache pouvait un jour se tenir à l'endroit exact où ils s'étaient témoigné leur amour.

Après que la voiture avait laissé tout le monde devant le portail de Waverly, Elias la raccompagna jusqu'à Dumbarton. Ils se tenaient par la main et n'arrêtaient pas de dire que c'était dément, cet incendie, de s'émerveiller de la chance qu'ils avaient eue de sortir à temps, mais derrière cette conversation, affleurait l'idée de ce qu'ils venaient de partager, et ils ne cessaient d'échanger des regards heureux et intimidés.

— Je t'aime, lui murmura-t-elle à l'oreille, sur les marches en marbre de Dumbarton.

Quel délice de dire cela, quand on savait qu'il allait le dire lui aussi.

Il toucha son menton et l'embrassa sur le front.

— Moi aussi, je t'aime.

Elle regrettait qu'il ne puisse pas rester avec elle pour toujours.

Mais c'était impossible. Elle devait regagner sa chambre, retrouver sa colocataire – qui ne serait pas franchement enchantée de la voir avec Elias. Aussi se détacha-t-elle de lui à contrecœur pour se rendre à l'étage. Elle ouvrit la porte de sa chambre. Jenny était déjà en train de se mettre en pyjama – un pyjama rouge avec des petits poissons. Aux anges, pleine de bonne volonté pour le monde entier, Callie sourit en la voyant. Elle se laissa tomber sur son lit, appréciant la sensation de sa couette en duvet super douce sur ses jambes glacées.

— Eh bien, c'était complètement dingue, non ?

Jenny se tourna vivement pour lui faire face, une étrange expression sur le visage.

— Quoi, tu veux parler du fait que tu m'aies menti tout ce temps ?

Sa voix se brisa à la fin de sa phrase, un peu comme lorsqu'elle était sur le point de pleurer, et Callie se demanda si elle allait fondre en larmes. Mais non.

Callie s'assit sur le lit, perdue. Pourquoi tout le monde était-il toujours en colère contre elle alors qu'elle essayait juste de se montrer sympa ?

— De quoi tu parles ?

Les immenses yeux bruns de Jenny parurent lui sortir de la tête.

— Et ce pacte qu'on a fait – où l'on s'engageait toutes les deux à renoncer à Elias ?

Elle secoua doucement la tête, avec dans les yeux plus de tristesse que de colère.

— Ça n'avait aucun sens pour toi ?

Callie se leva maladroitement. Elle était complètement nulle quand il s'agissait d'affronter la déception des autres, bien qu'elle ait vécu suffisamment longtemps avec sa mère pour avoir l'occasion de faire des progrès. Dès que quelqu'un l'accusait de l'avoir laissé tomber, elle ne pouvait s'empêcher d'être sur la défensive. Elle approcha de son miroir et prétendit se brosser les cheveux, alors qu'elle était en quête d'éventuels suçons.

— Je ne vois vraiment pas pourquoi tu en fais tout un drame.

Les mots sortirent de façon un peu plus glaciale qu'elle ne l'aurait voulu, mais elle ne pouvait plus reculer.

— Je croyais que tu craquais pour Julian maintenant, de toute façon. L'autre jour, tu étais super excitée avec cette histoire, ajouta-t-elle.

— Tu ne comprends même pas ce que j'essaie de te dire, en fait ?

Ses yeux s'enflammèrent de colère et elle approcha de la coiffeuse pour forcer Callie à la regarder.

— Je ne te parle pas d'Elias. Je parle de toi.

La voix de Jenny s'adoucit, elle se mit à jouer avec le plateau métallique rempli de barrettes. Elle en prit une, la reposa.

— Je croyais que nous étions amies, mais visiblement je me suis trompée.

Cela énerva Callie au plus haut point. Mais elles étaient amies – ou du moins tant que Jenny ne jouait pas à la donneuse de leçons. Callie regarda sa colocataire en plissant ses yeux verts.

— Tu ne trouves pas ça un peu ironique ? C'est toi qui t'en prends à moi parce que je sors avec Elias, qui était mon petit ami avant que tu me le piques !

Jenny s'étrangla, recula, les joues rouges de colère.

— Je ne te parle pas d'Elias ! cria-t-elle.

— Marrant. En tout cas, on dirait bien, rétorqua Callie en enlevant son pull, priant pour qu'il n'y ait pas de suçons ailleurs – une heure auparavant, elle avait eu l'impression qu'Elias avait embrassé chaque centimètre de son corps.

— Quelle idiote d'avoir pensé que tu puisses te comporter en personne sensée dans cette histoire, lança Jenny.

Elle tira sa couette et donna un grand coup dans son oreiller.

— J'aurais dû me méfier. Et j'imagine que je ne devrais pas être surprise non plus qu'Elias et toi ayez été assez idiots et égoïstes pour mettre le feu à la grange avec vos cigarettes.

Ce fut au tour de Callie de rester bouche bée. Elle enfila son haut de pyjama Ralph Lauren à rayures roses et rouges.

— De quoi tu parles ? s'enquit-elle, prise de panique. On n'a rien à voir avec ça.

— Vraiment ?

Jenny avait les mains sur ses hanches rondes. Elle semblait prête à arracher la tête de Callie – ou à la faire renvoyer par exemple. Jamais elle n'avait eu l'air aussi folle de rage.

— Je vous ai vus tous les deux, dans la grange, en train de fumer. Alors ça ne me paraît pas impossible.

— Tu nous as vus ? s'étrangla Callie en serrant la ficelle de son bas de pyjama autour de ses hanches étroites. Alors comment savoir si ce n'est pas toi qui as allumé le feu dans un accès de jalousie pour essayer de nous tuer.

Cela parut tout à coup évident à Callie. Jenny avait mis le feu, puis avait prétendu être bouleversée pour une autre raison, alors qu'en réalité elle se sentait coupable et craignait de se faire pincer.

— Moi je trouve que ça ressemble à un mobile.

Jenny enfonça ses pieds dans ses grosses pantoufles en crochet doublées en fausse peau de mouton, qui semblaient tout droit sorties des années 80.

— Ça ne m'étonne pas de toi.

Puis elle se dirigea d'un pas décidé vers la porte, ses boucles rebondissant dans son dos.

Qu'est-ce qu'elle voulait dire par là ?

HibouNet

Messages instantanés
Boîte de réception

BennyCunningham :	Ça faisait super peur. J'arrive pas à croire qu'on a failli partir en fumée... Je me suis sentie très vulnérable.
LonBaruzza :	N'exagère pas, tu étais super loin de la grange. Tu veux juste jouer la damoiselle en détresse.
BennyCunningham :	Quand même. Je ne me suis toujours pas remise de la vision d'Elias et Callie sortant de là à moitié nus. Tu parles d'une liaison secrète !
LonBaruzza :	Tu connais le dicton : Rien ne vaut une ex ! Tu crois que les flammes de leur passion ont mis le feu à la grange ?
BennyCunningham :	Arrête. Tout le monde sait qu'ils fument comme des pompiers... Ça ne m'étonnerait qu'à moitié. J'espère qu'ils ne se feront pas virer !
LonBaruzza :	J'sais pas. J'ai vu Tinsley qui traînait dans le coin aussi. C'est peut-être elle.
BennyCunningham :	Pff. Pourquoi tu la regardais ELLE ?
LonBaruzza :	Comment faire autrement ?

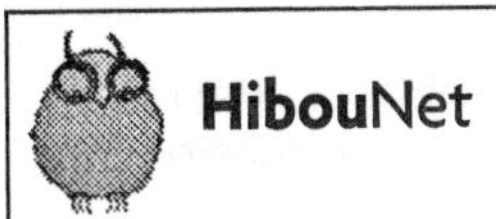

Messages instantanés
Boîte de réception

AlanStGirard :	À ton avis, Callie et Elias ont enfin couché ensemble ? En tout cas, ils ont vraiment été surpris le pantalon sur les chevilles.
HeathFerro :	Dommage pour Walsh s'il n'a pas eu le temps de boucler l'affaire. Remarque, moi j'avais parié qu'il finirait avec Miss Gros Nichons.
AlanStGirard :	En y repensant... J'ai aussi vu Jenny derrière la grange. Tu crois qu'ils étaient en pleine partie à trois ?
HeathFerro :	J'aimerais tant que H.F. soit à la place de Walsh, por favor.
AlanStGirard :	En parlant de partie à trois – Beth, Kara et toi ? – Elles sont juste lesbiennes ou alors il se passe un truc carrément plus croustillant entre vous ?
HeathFerro :	Attends. Il n'y a pas une fille sur ce campus qui refuserait une balade avec le Poney...
AlanStGirard :	C'est quoi cette réponse ?
HeathFerro :	La seule que tu obtiendras.

HibouNet

Messages instantanés
Boîte de réception

SybilleFrancis :	Une soirée de malades. Je ne sais même pas par quel bout prendre tout ça. Notre *prefect* est lesbienne, t'y crois à ça ?
AlisonQuentin :	Et alors ? Kara est une bombe. Si j'avais pas des vues sur Alan, elle me tenterait peut-être.
SybilleFrancis :	N'importe quoi. Y'a pas plus hétéro que toi.
AlisonQuentin :	Tu as vu la nouvelle copine de ce pauvre Brandon se taper ce gros naze de Brian Atherton ? Comment c'est possible ?
SybilleFrancis :	Pauvre BB. Les filles le traitent toujours comme de la merde. Enfin, celles qu'il choisit, du moins.
AlisonQuentin :	Pourquoi ? Tu te portes volontaire pour le consoler ?
SybilleFrancis :	Peut-être. Mais je ne sais pas si je pourrais sortir avec un mec plus joli que moi !
AlisonQuentin :	Hé, tu sais si quelqu'un a regardé le film ?
SybilleFrancis :	Quel film ???

37

AVEC DE VRAIS AMIS, ON N'A PAS BESOIN DE S'EXCUSER – MAIS UN BON HIBOU LE FAIT QUAND MÊME.

Jenny sortit en trombe de sa chambre, en pyjama, en regrettant de ne pas avoir sur elle une de ces boules en caoutchouc qu'on est censé pétrir quand on est stressé, énervé ou en colère. Elle descendit l'escalier en marbre au pas de charge, avec ses pantoufles toutes mœlleuses – si seulement elle avait gardé ses grosses bottes : elle avait envie de taper des pieds, de faire du bruit. Cela dit, ce n'était peut-être pas génial, comme idée, étant donné que c'était bientôt l'extinction des feux. Mais elle n'aurait pu passer une seconde de plus dans cette chambre, avec Callie qui lui mentait impudemment et essayait de minimiser les choses en prétextant son intérêt pour Julian.

À cet instant, elle soupira. *Julian.* Jenny s'arrêta une seconde au rez-de-chaussée. Si elle avait été d'une humeur différente, elle aurait souri en voyant le placard à balais où il se tenait caché l'autre jour. Leur baiser avait été… inattendu. Et génial. Rien qu'en y repensant, elle faillit rire toute seule… son moral commençait à remonter.

La porte de la chambre de Beth et Tinsley était ouverte, mais en jetant un rapide coup d'œil à l'intérieur, avec la peur de se faire mordre par Tinsley, Jenny constata qu'elle était vide. Elle approcha de la chambre de Kara et frappa doucement.

Un instant plus tard, Kara apparut, vêtue d'un grand tee-shirt d'un concert des Red Hot Chili Peppers et d'un legging noir.

— Salut, dit Jenny, soulagée de voir un visage amical. Je cherche Beth.

— Ah, oui.

Kara ouvrit grand la porte, Beth était installée sur le fauteuil de bureau de Kara.

— Qu'est-ce que tu viens faire ici ? demanda Beth, d'une voix glaciale.

Ses cheveux courts étaient tirés en deux petites couettes jusqu'en bas de son visage qui, dépourvu de tout maquillage, semblait jeune et triste.

— Je, euh… Tu n'étais pas dans ta chambre, alors je me suis dit que je te trouverais ici.

— Parle un peu plus fort, Jenny, tout le monde n'a pas bien entendu. Même si à mon avis, tu les as déjà tous mis au courant.

Beth lâcha un rire creux qui ne lui ressemblait pas du tout.

Jenny se précipita vers elle.

— Je n'ai rien dit à personne ! murmura-t-elle. Jamais je ne te ferai une chose pareille.

Tinsley pouvait la détester tant qu'elle voulait, Callie pouvait même avoir des envies de meurtres à son endroit, mais la simple idée que Beth soit en colère contre elle donnait envie à Jenny de creuser un trou pour s'y enterrer. Beth ne pouvait pas lui en vouloir pour ça, elle n'avait rien fait.

— Non ? demanda Beth, la voix tremblante.

Elle se passa la main sur le visage, complètement désespérée.

Callie. C'était à cause de Callie, soûle, et de ses commentaires lourds de sous-entendus. Jenny se mordit la lèvre.

— Mais je crois que Callie est au courant... Je l'ai entendue insinuer des trucs... Devant d'autres gens.

Beth se cacha le visage dans les mains.

— Je suis en train de devenir folle, reconnut-elle d'un ton découragé.

Elle tourna ses yeux verts, tristes et humides vers Jenny.

— Je suis vraiment désolée, Jenny. Je ne voulais pas t'accuser. Je... Je ne sais plus trop ce que je fais.

Elle essaya de rire, mais cela se transforma en hoquet.

— J'ai déjà failli étrangler Heath, croyant que c'était lui.

— T'en fais pas, la rassura Jenny.

Kara referma la porte et se laissa tomber sur le lit. Jenny se percha au bout, hésitant à aller serrer Beth dans ses bras.

— Mais au fait, comment se fait-il que Heath ait été au courant ?

Beth s'esclaffa doucement.

— C'est un peu à cause de lui que tout a commencé.

Elle sourit à Kara, assise en tailleur, son oreiller sur les genoux. On avait l'impression qu'elles se parlaient d'un bout à l'autre de la pièce, alors qu'aucune d'entre elles ne pipait mot.

— Mais ce n'est pas lui qui a vendu la mèche – on avait conclu un genre de marché.

Jenny était toujours dans le flou, mais elle se contenta de hocher la tête.

— Alors... Comment Callie a-t-elle pu l'apprendre ?

Kara s'éclaircit la gorge, les deux autres se tournèrent vers elle.

— À ce propos...

Elle jeta un regard penaud vers Beth et serra l'oreiller contre sa poitrine.

— Je suis vraiment, vraiment désolée – on a partagé quelques confidences après la dernière réunion, avoua Kara, dont les yeux se remplirent de larmes. Je n'avais pas l'intention de lui raconter, mais c'est sorti tout seul. Tout est de ma faute.

Beth quitta son fauteuil pour venir la rejoindre sur le lit.

— C'est pas grave.

Elle souriait, et Jenny voyait bien qu'elle essayait de paraître plus solide qu'elle ne l'était.

— Au moins, ce n'est pas nous qui avons brûlé la grange.

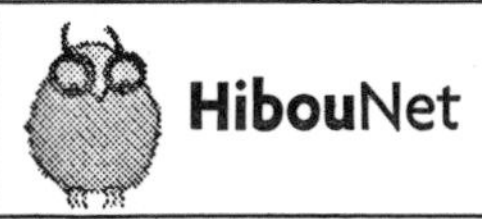

Boîte de réception

À : destinataires inconnus
De : DeanMarymount@waverly.edu
Date : Vendredi 11 octobre 23 : 25
Objet : Incendie

Aux élèves de Waverly,
Comme nombre d'entre vous le savent, un incendie s'est déclaré ce soir pendant la soirée Septième Art organisée à la ferme Miller ; incendie qui a eu pour résultat la destruction d'une grange vieille de soixante-dix ans. Cet acte est non seulement irresponsable, mais également incroyablement dangereux et infantile. Quiconque a provoqué cet incendie sera renvoyé de Waverly Academy sur-le-champ.
Une audition du comité disciplinaire aura lieu la semaine prochaine de toutes les personnes présentes à cette soirée. Vos noms sont enregistrés auprès de l'administration.
Il s'agit d'un déplorable abus de confiance. Toute personne détenant des informations concernant le / les coupable(s) a l'obligation morale et éthique de les transmettre immédiatement – sous peine d'être expulsé.

Le directeur

38

UN HIBOU LOYAL EST TOUJOURS DU CÔTÉ DE SA PETITE AMIE – QUOI QU'IL ARRIVE.

Le samedi matin, Callie fut arrachée à un profond sommeil par le vibreur de son portable. Elle se frotta les yeux et les fixa sur le minuscule écran. Elle avait reçu un nouveau SMS : *Debout, feignante. Retrouve-moi devant le dortoir dans 20 mn. OK ? Bisous.* Callie sourit malgré elle. C'était comme si Elias ne pouvait supporter d'être loin d'elle trop longtemps. Tant mieux. C'était ainsi que les choses devaient se passer.

En se déshabillant, la veille, elle avait trouvé un brin de paille coincé dans son pull. Elle l'avait glissé dans son bureau pour qu'il lui rappelle ce qui s'était passé à chaque fois qu'elle ouvrirait le tiroir. Elle regrettait un peu de ne pas avoir d'album photo pour le glisser à l'intérieur, mais se rendit compte que cela aurait pu paraître bizarre. Elle voyait d'ici sa mère le feuilleter et lui demander pourquoi elle avait gardé un bout de paille pour la postérité.

Callie jeta un coup d'œil au lit vide de sa colocataire. Ses draps et couvertures étaient entortillés en une masse informe au pied du lit. Sûrement une façon de confirmer à Callie sa façon de penser après leur dispute de la veille. Bien vu. Comme si voir la chambre sens dessus dessous la dérangeait – Callie avait pour habitude d'y laisser un désordre perpétuel. Elle fonça sous la douche, résolue à ne plus penser à sa petite donneuse de leçons de colocataire qui allait devoir s'en remettre.

Après avoir enfilé rapidement un jean slim Stella McCartney et sa toute nouvelle paire de bottes – des Michael Kors en daim noir super confort, qui lui faisaient penser à l'hiver qu'elle passerait blottie contre Elias, avec ou sans bottes – elle quitta le bâtiment, pressée d'entrer au réfectoire avec Elias à son bras pour que le monde entier sache enfin qu'ils étaient à nouveau ensemble.

Prends ça dans les dents, Miss Humphrey.

Elias l'attendait devant le perron. Elle marqua un temps d'arrêt avant d'ouvrir la porte pour aller le rejoindre. À travers la vitre, elle voyait sa silhouette se détacher sur l'éclatant ciel bleu et les feuilles d'automne aux couleurs flamboyantes. Elle n'avait jamais vraiment compris pourquoi tout le monde s'extasiait sur la beauté des feuilles rousses. Mais à cet instant précis, leurs magnifiques couleurs formaient un cadre parfait derrière son visage.

Elle ouvrit la porte doucement et il se retourna.

— Salut, dit-elle un peu maladroitement.

Malgré le ciel ensoleillé, il faisait un temps glacial, et elle se félicitait d'avoir mis son caban Ralph Lauren couleur crème. Elle sentait déjà ses cheveux mouillés se raidir dans le froid.

Elias avait encore l'air endormi, mais était incroyablement mignon avec son blouson bleu marine et son jean.

— Tu viens te balader ? J'ai pris le petit-dej'.

Elle remarqua les deux tasses en carton posées sur les marches. Il secoua le sachet qu'il avait à la main.

— Des bagels.

Callie essaya de dissimuler sa déception. Elle qui se réjouissait déjà à l'idée d'entrer avec lui dans le réfectoire pour que tout le monde les voie, et officialiser une bonne fois pour toutes les choses. Mais enfin… c'était tout de même adorable de sa part de lui avoir concocté une surprise. Elle sourit.

— À quoi, les bagels ?

— Il y en a un à la cannelle et aux raisins secs avec plein de fromage frais bien gras.

Ses yeux scintillèrent au soleil.

— Mais il est pour moi.

Callie lui donna une tape sur la poitrine, Elias attrapa sa main et la tint une seconde dans sa paume calleuse. Au contact de sa peau, elle sentit la sienne s'enflammer à nouveau.

— On va où ? demanda-t-elle d'une voix un peu rauque.

Il prit une des tasses, encore fumante, et la lui tendit. Elle plaça ses mains autour, reconnaissante, tout en gardant à l'esprit qu'elle portait un manteau blanc. Comme si elle s'attendait à renverser son café dessus.

— On pourrait aller jusqu'au promontoire ? proposa-t-il.

Elle dissimula son étonnement. Certes, personne ne les verrait là-haut. Mais… Bref. C'était peut-être ce qu'il voulait. Ils traversèrent la pelouse, leurs pieds écrasant bruyamment les feuilles gelées et colorées.

— On ne parle que de cet incendie, dit Elias.

Callie le regarda.

— Évidemment, ce n'est pas tous les jours qu'on organise une soirée hors campus qui se termine dans les flammes.

Il but un peu de café, avec un bruit adorable. Puis il s'éclaircit la gorge et lui jeta un regard ; ses yeux bleu profond paraissaient troublés.

— Je crois qu'un certain nombre de personnes pensent que c'est de notre faute.

— Quoi ?!

Callie se figea. Bien sûr, Jenny répandait des rumeurs à ce sujet.

— C'est Jenny. Je le sais. Elle essaye de nous faire renvoyer.

— Quoi ?

Ce fut au tour d'Elias d'être surpris.

— Jenny ? Impossible.

Callie se raidit. Était-il en train de prendre la défense de cette petite traînée pyromane ? Elle sentit ses paumes devenir moites. Ça n'allait pas recommencer.

— Elle nous a vus, tu sais. On s'est engueulées, elle et moi, hier soir, elle m'a traitée de tous les noms.

Ce n'était pas tout à fait vrai, mais Elias n'avait pas besoin de connaître les détails de l'affaire. Il fallait juste qu'il soit du côté de sa copine, de façon inconditionnelle.

Elias se peigna les cheveux d'une main, l'air absent.

— Elle doit sûrement être bouleversée, et tout ça…

Mauvaise réponse. Callie recula d'un pas et but une gorgée de café. Presque immédiatement, elle vit que quelques gouttelettes se faufilaient sous le capuchon en plastique et s'écrasaient sur son manteau. Merde.

— Si tu la trouves si géniale, tu n'as qu'à aller la retrouver.

— Ne sois pas comme ça.

Elias fit deux pas dans sa direction et plaça très vite ses bras autour d'elle – la réaction la plus rapide qu'il ait jamais eue face à une de ses crises. Callie était impressionnée. Il colla ses lèvres contre son oreille, elle ferma les paupières et oublia complètement le café qui allait sûrement souiller son manteau tout neuf. Le murmure rauque d'Elias lui chatouilla délicieusement le lobe.

— Tu sais bien que la soirée d'hier a été la plus belle de ma vie.

Elle soupira et pressa ses lèvres dans le cou d'Elias. Voilà qui était mieux.

Mais il s'écarta légèrement. Son front était creusé par le souci. Ses doigts secs suivirent le contour de ses pommettes.

— Qu'y a-t-il ? demanda-t-elle.

— Je suis inquiet, c'est tout…

Il recula un peu et saisit un bâton sur la pelouse pour le lancer au loin.

— Tel que je connais Marymount – et après tous les ennuis que j'ai eus, je pense plutôt bien le cerner – il va vouloir que quelqu'un paye pour ça.

Callie prit sa main et la serra fort. Elias et elle étaient enfin réunis. Ils étaient amoureux, juste à temps pour pouvoir boire du chocolat chaud ensemble après le dîner et s'embrasser au milieu de la cour à la première neige. Ils ne seraient pas les boucs émissaires. C'était *impossible*. Et si ça signifiait que quelqu'un d'autre devait payer à leur place, alors, qu'il en soit ainsi.

HibouNet	Messages instantanés Boîte de réception
BennyCunningham :	Oh mon Dieu. Tu as entendu ? Ils ont trouvé le Zippo de Julian dans les ruines après l'incendie !!
TinsleyCarmichael :	Sans rire ?
BennyCunningham :	À mon avis, ça fait de lui le suspect numéro un. J'espère qu'il ne va pas se faire renvoyer. Il est trop mignon, même s'il n'est qu'en troisième.
TinsleyCarmichael :	Tu sais quoi, je l'ai VU derrière la grange... avec Jenny. Je crois qu'ils s'embrassaient. Tu crois que c'est eux ?
BennyCunningham :	Sûrement. C'est pas clair un mec aussi grand qui se tape une nana aussi minuscule.
TinsleyCarmichael :	Je suis carrément d'accord...

HibouNet

Messages instantanés
Boîte de réception

CallieVernon :	Salut. Ça va ?
TinsleyCarmichael :	Pas mal.
CallieVernon :	Excuse-moi de ne pas avoir discuté avec toi cette semaine.
TinsleyCarmichael :	Laisse tomber.
CallieVernon :	T'es dans le pétrin à cause de la grange ? Parce que je crois savoir qui est le responsable.
TinsleyCarmichael :	Parle-moi, *sister.*
CallieVernon :	Jenny. Elle nous a vus, Elias et moi, ensemble. Ensemble, ensemble
TinsleyCarmichael :	On dirait bien un mobile.
CallieVernon :	Exactement.
TinsleyCarmichael :	Je m'en occupe. Et au fait, Cal ?
CallieVernon :	Oui ?
TinsleyCarmichael :	C'est bon de te retrouver du côté obscur.
CallieVernon :	Ça me fait plaisir à moi aussi. À plus, chérie.

Achevé d'imprimer en janvier 2008
par **BUSSIÈRE**
à Saint-Amand-Montrond (Cher)
pour le compte de FLEUVE NOIR
12, avenue d'Italie
75627 Paris Cedex 13
N° d'édition : 8531. — N° d'impression : 080178/1.
Dépôt légal : février 2008.
Imprimé en France